NOTRE CORPS
NE MENT JAMAIS

Du même auteur

Le Drame de l'enfant doué, PUF, 1983, traduit par Bertrand Denzler.

C'est pour ton bien, Aubier, 1984, traduit par Jeanne Étoré.

L'Enfant sous terreur, Aubier, 1986, traduit par Jeanne Étoré.

Images d'une enfance, Aubier, 1987, traduit par Jeanne Étoré.

La Connaissance interdite, Aubier, 1990, traduit par Jeanne Étoré.

La Souffrance muette de l'enfant, Aubier, 1990, traduit par Jeanne Étoré.

Abattre le mur du silence, Aubier, 1990, traduit par Léa Marcou.

L'Avenir du drame de l'enfant doué, PUF, 1996, traduit par Léa Marcou.

Chemins de vie, Flammarion, 1998, traduit par Léa Marcou.

Libres de savoir, Flammarion, 2001, traduit par Léa Marcou.

ALICE MILLER

NOTRE CORPS NE MENT JAMAIS

Traduit de l'allemand par Léa Marcou

Flammarion

[2e édition, 2005.]

Cet ouvrage a paru initialement sous le titre
Die Revolte des Körpers

ISBN : 2-08-210362-5

« Les émotions ne sont pas un luxe, mais un auxiliaire complexe dans la lutte pour l'existence. »

Antonio R. Damasio

AVANT-PROPOS

Tous mes livres ont pour thème central le déni des souffrances de l'enfance. Chacun traite d'un aspect précis de ce phénomène et l'éclaire sous des angles différents, en privilégiant tel ou tel domaine. Par exemple, j'en ai étudié les causes et les conséquences dans *C'est pour ton bien* et dans *L'Enfant sous terreur*. Ensuite, j'ai montré les effets de ce déni sur la vie de l'adulte et sur la société : par exemple son expression dans l'art et la philosophie avec *La Souffrance muette de l'enfant*, dans la politique et la psychiatrie avec *Abattre le mur du silence*. Comme les différents aspects ne peuvent être totalement séparés les uns des autres, il se produit inévitablement des redites et des chevauchements. Le lecteur attentif verra certes aisément que les sujets abordés se situent chaque fois dans un contexte différent et sont étudiés sous une autre perspective.

Toutefois, le sens des notions que j'utilise est constant[1]. Ainsi, j'emploie le mot « inconscient »

1. Les définitions de ces notions se trouvent à la fin du livre.

exclusivement pour désigner les contenus (souvenirs, émotions, besoins) refoulés, niés ou déconnectés du champ de la conscience. À mes yeux, l'inconscient de chaque individu n'est autre que son histoire, dont la totalité est certes emmagasinée dans le corps, mais dont seules des bribes accèdent à la conscience. De ce fait, j'emploie le mot « vérité » dans un sens non pas métaphysique, mais subjectif, en me référant à la vie concrète de l'individu : je parle de « sa » vérité, de son histoire, dont ses émotions sont la traduction et portent témoignage.

Par le terme « émotion », je désigne une réaction physique, pas toujours consciente, mais souvent d'une importance vitale, à des événements extérieurs ou internes : par exemple la peur de l'orage, ou la colère d'avoir été trompé, ou encore la joie de recevoir le cadeau dont on avait envie. Le mot sentiment, en revanche, s'applique plutôt à une perception *consciente* de l'émotion (cf. p. 34, 159 sq). La cécité émotionnelle constitue, par conséquent, un luxe extrêmement coûteux et souvent autodestructeur.

Ce livre étudie les répercussions sur notre corps de nos émotions refoulées. Or c'est bien souvent la morale et la religion qui nous poussent à nier jusqu'à leur existence. Mon expérience de la psychothérapie – tant la mienne que celles dont j'ai observé les effets chez mes patients – m'a amenée à la conclusion que, lorsqu'on a été maltraité dans son enfance, seuls un refoulement massif et la déconnexion de ses véritables émotions permettent d'observer le Quatrième Commandement : « Tu honoreras ton père et ta mère ». En réalité, ces enfants sont hors d'état d'aimer et d'honorer leurs parents car, inconsciemment, ils n'ont pas cessé d'en avoir peur. Et, même s'ils le souhaitent, ils sont incapables de nouer une relation confiante et sereine.

On les verra généralement plutôt faire preuve d'un attachement pathogène, composé d'un mélange de peur et de sentiment du devoir, qui ne peut se confondre avec le véritable amour – ce n'est qu'un simulacre, une façade. En outre, les êtres maltraités dans leur enfance espèrent souvent, leur vie durant, recevoir enfin l'amour qu'ils n'ont jamais connu. Ces attentes renforcent leur attachement aux parents, attachement que la morale traditionnelle appelle amour et qui est considéré comme une vertu. La plupart des thérapies actuellement en vigueur ne remettent guère en question ce schéma et c'est le corps du patient qui paie le prix de ces conceptions « morales ».

Lorsqu'un être humain essaie de ressentir ce qu'il *doit* ressentir, et s'interdit d'éprouver ce qu'il ressent réellement, il tombe malade. À moins qu'il ne fasse payer la facture à ses enfants, en projetant sur eux ses émotions refoulées.

Mon intuition profonde est que ce processus psycho-biologique est essentiel dans le comportement humain et qu'il a malheureusement été longtemps occulté par des exigences religieuses et morales.

C'est ce qu'on verra dans la première partie de cet ouvrage, à travers les biographies de plusieurs personnalités célèbres. Les deux parties suivantes indiquent par quels chemins la personne peut établir une authentique communication avec les autres et se réconcilier avec elle-même pour rompre le cercle infernal de l'auto-mystification et guérir des troubles qui en sont les symptômes.

INTRODUCTION

La dictature du Quatrième Commandement

Notre corps réagit bien souvent par la maladie devant le mépris prolongé de ses fonctions vitales. L'une d'elles est la fidélité à sa propre histoire. De ce fait, ce livre traite principalement du conflit entre ce que nous *ressentons* et savons, puisque cela reste enregistré dans notre corps, et ce que nous *voudrions* ressentir pour nous conformer aux normes morales gravées en nous dès le plus jeune âge. Or il se trouve que l'une, très précisément, de ces normes, le précepte universellement accepté « Tu honoreras ton père et ta mère », qui est aussi le Quatrième Commandement du Décalogue, nous empêche souvent de laisser émerger nos véritables sentiments, et que nous payons ce compromis par des maux corporels. Ce livre en fournit de nombreux exemples – nous n'y raconterons pas des histoires de vie complètes, mais nous concentrerons essentiellement sur les relations avec des parents qui, dans le passé, furent maltraitants.

L'expérience m'a appris que mon corps est la source de toutes les informations vitales qui ouvrent la voie à plus d'autonomie et de conscience de soi. C'est seulement après avoir pu m'autoriser à laisser émerger les émotions si longtemps enfouies et acquis la capacité de les ressentir que je me suis progressivement libérée de mon passé. Les vrais sentiments ne se laissent pas commander. Ils adviennent et ont toujours une cause, même si celle-ci, bien souvent, nous reste cachée. Je ne puis me forcer à aimer mes parents, ou simplement à les honorer, si mon corps s'y oppose pour des motifs qui lui sont bien connus. Si je veux malgré tout observer le Quatrième Commandement, je subirai un stress, comme chaque fois que je m'impose une tâche impossible. Ce stress, j'en ai personnellement souffert pendant longtemps. J'ai essayé de me fabriquer de bons sentiments et d'ignorer les mauvais, pour rester en accord avec la morale et le système de valeurs que j'avais acceptés. En réalité, pour être aimée en tant que fille. Ce fut en pure perte : au bout du compte, il m'a bien fallu reconnaître que je ne puis créer d'amour sur commande et qu'en revanche il naît spontanément en moi, par exemple envers mes enfants ou mes amis, dès lors que je ne m'y force pas et ne tente pas de me conformer à des préceptes moraux. Pour aimer vraiment, j'ai besoin de me sentir libre et d'accepter tous mes sentiments, fussent-ils négatifs.

Reconnaître que je ne puis manipuler mes sentiments, que je ne puis ni ne veux me leurrer ou tromper les autres m'a apporté un grand soulagement, une véritable délivrance. Alors seulement j'ai saisi qu'une foule de gens se détruisent en s'efforçant, comme je l'ai fait jadis, d'observer le Quatrième Commandement, sans se rendre compte du prix qu'ils font payer à leur corps ou à leurs enfants. Du reste, si ces derniers acceptent de se laisser utiliser et cautionnent la cécité de leurs parents, ceux-là peuvent même vivre cent ans sans faire face à leur vérité et continuer à se mentir sans en tomber malade.

Certes, une mère qui avoue que, en raison des carences subies dans son jeune âge, elle est incapable, en dépit de tous ses efforts, d'aimer son enfant risque fort de se voir accusée d'immoralité. Pourtant, j'en suis persuadée, c'est précisément la reconnaissance de ses véritables sentiments, indépendamment des exigences de la morale, qui lui apportera une aide et lui permettra d'aller sincèrement vers son enfant, de rompre l'engrenage de l'automystification.

Lorsqu'un enfant vient au monde, il a besoin de l'amour de ses parents, c'est-à-dire qu'ils lui témoignent de l'affection, de l'intérêt, de la sollicitude, se montrent gentils, protecteurs, disponibles et prêts à communiquer avec lui. Le corps conservera ces bons souvenirs, dont il sera à jamais enrichi. Plus tard, quand ce jeune être deviendra adulte, il sera capable de donner le même amour à ses propres enfants. Mais quiconque a été privé de tout cela aspirera, sa vie entière, à assouvir ses premiers besoins vitaux, et cherchera à les satisfaire auprès d'autres personnes. En outre, moins un enfant a reçu d'amour, moins il a été respecté en tant que personne, plus, quand il sera adulte, il se cramponnera à ses parents ou à des substituts, en attendant d'eux tout ce qui lui a été refusé à la période décisive. C'est là une réaction normale du corps. Il sait ce qui lui manque et ne peut l'oublier. Un trou est creusé qui attend d'être comblé.

Cependant, plus on avance en âge, plus il devient difficile de trouver auprès d'autrui l'amour parental qui nous a fait défaut durant nos premières années. Pour autant, les attentes ne disparaîtront pas, bien au contraire : elles seront simplement transférées, principalement sur les enfants et petits-enfants. À moins que nous ne prenions conscience de ces mécanismes et n'essayions, par la levée du refoulement et l'abandon du déni, de regarder aussi exactement que possible la réalité de notre enfance. C'est à cette condition que nous pouvons alors construire en nous l'être capable de satisfaire les besoins qui, depuis notre naissance et parfois même avant, attendent d'être assouvis. C'est alors que nous pouvons nous accorder à nous-mêmes l'attention, le respect, la compréhension, la nécessaire protection et l'amour inconditionnel que nos parents nous ont refusés.

Pour arriver à ce résultat, nous avons besoin de vivre l'expérience de l'amour pour l'enfant que nous fûmes, sinon nous ne saurons pas ce que signifie le mot aimer. Si nous cherchons à l'apprendre dans le cadre d'une thérapie, il nous faudra quelqu'un qui puisse nous accepter comme nous sommes, nous accompagner et nous protéger avec respect et sympathie, nous aider à comprendre pourquoi nous sommes devenus ce que nous sommes. Cette expérience fondamentale est indispensable pour nous permettre d'assumer le rôle parental envers l'enfant maltraité enfoui en nous. Un éducateur désireux de nous modeler sera incapable de nous la faire vivre, tout comme un psychanalyste qui croirait que, face aux traumatismes de l'enfance, il faut rester neutre et interpréter nos récits comme autant de fantasmes. Non, ce dont nous avons besoin, c'est exactement du contraire, à savoir d'un accompagnateur *engagé,* capable de partager notre horreur et notre indignation lorsque nos émotions nous feront découvrir ensemble nos souffrances de petit enfant – tout ce que nous avons pu endurer, parfois dans une totale solitude, lorsque notre âme et notre corps luttaient pour survivre. Nous avons besoin d'un pareil accompagnateur, que je nomme « témoin lucide », pour rejoindre et assister cet enfant qui est en nous, pour nous faire déchiffrer notre langage corporel et répondre à nos besoins, au lieu de les ignorer comme ce fut longtemps le cas, comme le firent autrefois nos parents.

J'insiste sur ce point. Avec l'aide d'un accompagnement compétent, *non pas neutre* mais *notre allié,* il est possible de trouver sa vérité. Il est possible, grâce à ce travail, de se délivrer de ses symptômes, de guérir de sa dépression et de découvrir la joie de vivre. L'on arrivera à sortir de son état d'épuisement et l'on pourra acquérir un surcroît d'énergie, puisqu'il ne sera plus nécessaire de consacrer toutes ses forces au refoulement de sa vérité. La fatigue caractéristique de la dépression nous envahit, en effet, chaque fois que nous réprimons nos émotions fortes, que nous refusons de prêter attention à la mémoire de notre corps.

Mais pourquoi ces bons résultats restent-ils plutôt rares ? Pourquoi la plupart des gens, spécialistes y compris, préfèrent-ils croire aux vertus des médicaments au lieu de se fier aux messages de notre corps ? Celui-ci, pourtant, sait exactement ce dont nous avons besoin, ce que nous avons mal supporté, ce qui a provoqué en nous une réaction allergique. Trop souvent, nous préférons chercher secours auprès des médicaments, de la drogue ou de l'alcool, aboutissant ainsi à bloquer encore un peu plus l'accès à notre vérité. Pourquoi donc ? Parce qu'il est douloureux de la connaître ?

Oui, c'est incontestable. Mais ces souffrances sont temporaires et avec un bon accompagnement elles restent supportables. Le problème réside plutôt, à mon avis, dans la pénurie de tels accompagnateurs, car presque tous les professionnels de la santé semblent imprégnés par les préceptes de la morale traditionnelle et sont dans l'incapacité de se ranger du côté de l'ancien enfant maltraité et d'admettre les effets de ses blessures précoces. Eux aussi sont sous l'emprise du Quatrième Commandement, qui nous ordonne d'honorer nos parents « afin que nos jours se prolongent et que nous vivions heureux… »

Rien d'étonnant donc à ce que ce précepte entrave la guérison des blessures de l'enfance. En revanche, il est plus surprenant que cela ne soit pas encore apparu au grand jour. La portée et l'ascendant de ce commandement sont incommensurables, car il s'appuie sur l'attachement naturel du petit enfant à ses parents. Même les plus grands écrivains et philosophes – on le verra – n'ont pas osé l'attaquer. Nietzsche a sévèrement critiqué la morale chrétienne, mais sans toucher à sa propre famille, car en tout adulte maltraité dans son jeune âge survit la peur du petit enfant d'être puni par ses parents s'il s'avise de se rebiffer. Pourtant, cette crainte ne persiste que tant qu'elle reste inconsciente. Du moment que le sujet l'a identifiée, elle s'estompe, jusqu'à disparaître.

Sous l'emprise du Quatrième Commandement, la grande majorité des thérapeutes promeuvent auprès des clients venus leur demander secours les principes éducatifs dans lesquels ils ont été élevés. Eux-mêmes sont fixés à leurs parents par les innombrables liens de leurs vieilles attentes, baptisent cela amour et tentent de se persuader que c'est la bonne solution. Ainsi, ils prêchent le pardon en affirmant qu'il conduira à la guérison et ne semblent pas s'apercevoir qu'il s'agit d'un piège dont ils sont prisonniers. Le pardon, en effet, n'a encore jamais guéri personne.

En fait, nous vivons depuis des millénaires sous l'emprise d'un commandement que jusqu'ici quasiment personne n'a remis en question, car il conforte l'attachement de l'enfant délaissé à ses parents. Nous nous comportons donc comme si nous étions encore des enfants qui n'ont pas le droit de remettre en question les ordres de Papa et Maman. Nous devrions pourtant, en adultes conscients, nous autoriser à formuler nos questions, même si nous savons combien, dans le passé, elles auraient choqué nos parents.

Moïse, qui a imposé les Dix Commandements au peuple, était lui-même – bien que certes par nécessité – un enfant abandonné. Comme la plupart d'entre eux, il espérait sans doute gagner un jour l'amour de ses parents à force de compréhension et de marques de respect. Sa mère l'a déposé au bord du fleuve afin de le soustraire à l'édit de mort (elle a même, nous dit la Bible, envoyé sa sœur observer ce qui arriverait). Mais le nourrisson placé dans la caisse de papyrus ne pouvait guère le comprendre. Le Moïse adulte se dira peut-être : mes parents m'ont abandonné pour me protéger. Je ne peux leur en vouloir, je dois leur être reconnaissant de m'avoir sauvé la vie. Mais ce que ressentait l'enfant, c'était vraisemblablement : pourquoi mes parents m'ont-ils rejeté, exposé au risque de me noyer ? Ne m'aiment-ils donc pas ? Le désespoir et la peur de la mort emmagasinés dans son corps ont subsisté et l'ont sans doute influencé lorsqu'il donna le Décalogue à son peuple. Le Quatrième Commandement serait-il une forme d'assurance-vie pour les personnes âgées, à une époque où cela était plus nécessaire qu'aujourd'hui ? Peut-être. Mais, si l'on y regarde de plus près, il en émane une sorte de menace, voire de chantage, dont l'effet s'exerce encore de nos jours. À savoir : si tu veux vivre longtemps, tu dois, même s'ils ne le méritent pas, honorer tes parents. La plupart des gens adhèrent à ce commandement, bien qu'il soit déconcertant et angoissant. Je pense pour ma part qu'il est temps de prendre au sérieux les blessures de l'enfance et leurs effets, et de nous délivrer de ce précepte. Cela ne signifie nullement qu'il faut se montrer cruel envers ses vieux parents, leur rendre la pareille. Cela signifie que nous devons les voir tels qu'ils étaient, avec ce qu'ils nous ont fait subir quand nous étions petits, afin de nous délivrer de ce modèle et de ne pas le reproduire sur nos enfants. Nous devons nous séparer des parents *intériorisés* qui poursuivent en nous leur œuvre destructrice : c'est le seul moyen de prendre notre vie en mains et d'apprendre à nous respecter. Nous ne pouvons l'apprendre de Moïse car, en édictant le Quatrième Commandement, il s'est montré infidèle aux messages de son corps. Il ne pouvait faire autrement, puisque ceux-ci étaient inconscients. C'est donc précisément pour cette raison que nous devons cesser de nous soumettre à cette injonction.

J'ai tenté dans tous mes livres de montrer comment les méfaits de la pédagogie noire, lorsqu'ils ont marqué notre enfance, vont plus tard peser sur notre vie, affaiblir, voire étouffer notre vitalité et la perception de notre identité, de nos sentiments et de nos besoins. La pédagogie noire, rappelons-le, produit des êtres disciplinés, qui ne peuvent faire confiance qu'à leur masque car ils ont vécu toute leur enfance dans la crainte d'une punition. Ils ont subi un dressage selon le principe : « Je t'élève ainsi pour ton bien, et si je te bats ou te torture par mes paroles, c'est uniquement dans ton intérêt. »

Dans son roman *Être sans destin*, un ouvrage devenu célèbre, l'écrivain hongrois Imre Kertész, prix Nobel de littérature, relate son arrivée, à l'âge de quinze ans, au camp d'extermination d'Auschwitz. Il décrit très précisément comment il a systématiquement essayé de trouver dans ces atrocités quelque chose de positif et de bénéfique afin de ne pas être submergé par la peur.

Tout enfant maltraité doit sans doute adopter ce genre d'attitude pour survivre. Il tronque ses perceptions et tente de voir un bienfait dans ce qui, pour un regard extérieur, est manifestement un crime. Un enfant n'a pas le choix : si, faute de témoin secourable, il se trouve totalement à la merci de ses persécuteurs, il est contraint au refoulement. Ce n'est que plus tard, à l'âge adulte, s'il a la chance de rencontrer un témoin lucide, qu'il aura une alternative. Il pourra accéder à sa vérité, cesser de s'apitoyer sur son bourreau, renoncer à s'efforcer de le comprendre et de ressentir à son égard des sentiments qu'il n'a pas vécus. Il pourra condamner sans ambiguïté le traitement qu'on lui a infligé. Cette démarche entraîne un grand soulagement pour le corps, qui, dès lors, n'est plus obligé de se rebeller pour rappeler à l'adulte la tragique histoire de son enfance. Il se sent compris, respecté et protégé par cet adulte à présent décidé à connaître toute sa vérité.

Je nomme maltraitance la méthode d'« éducation » qui s'appuie sur la violence. Car non seulement on refuse à l'enfant son droit d'être humain au respect et à la dignité, mais on le fait vivre dans une sorte de régime totalitaire où il lui devient impossible de percevoir les humiliations, l'avilissement et le mépris dont il est victime, sans même parler de s'en défendre. Une fois adulte, il reproduira ce modèle avec son partenaire et ses propres enfants, dans sa vie professionnelle et le cas échéant politique, en tout lieu où, placé en position de force, il pourra combattre sa peur d'enfant insécurisé. C'est ainsi que se forgent les dictateurs qui cherchent dans le pouvoir absolu le moyen de contraindre les masses à leur témoigner le respect que leurs parents ne leur ont jamais accordé dans leur enfance.

C'est précisément dans le domaine politique que la soif de pouvoir et de reconnaissance se révèle inextinguible. Et plus les dirigeants sont puissants, plus ils sont poussés à des agissements qui, de par la compulsion de répétition, les replacent dans cette ancienne situation d'impuissance qu'ils cherchent à fuir : ainsi, Hitler finit dans son bunker, Staline reste englué dans sa peur paranoïde, Mao sera finalement rejeté par son peuple, Napoléon se retrouve en exil, Milosevic en prison et le vaniteux Saddam Hussein, qui plastronnait si volontiers, en a été réduit à se cacher dans une sorte de cave. Qu'est-ce qui a poussé ces hommes, qui avaient conquis un immense pouvoir, à en faire un usage si mauvais qu'il s'est finalement transformé en impuissance ? Je pense que c'est leur corps, qui connaissait parfaitement, pour l'avoir enregistrée dans ses cellules, la totale impuissance de leur enfance et qui voulait les amener à affronter cette vérité. Mais tous ces dictateurs en avaient une telle peur que, pour ne pas la voir et la ressentir, ils ont détruit des peuples entiers, ont fait massacrer des millions d'êtres humains.

Dans ce livre, je ne m'appesantirai pas sur les motivations des dictateurs, bien que l'étude de leurs biographies me paraisse extrêmement éclairante. Je me concentrerai ici sur des gens ordinaires, qui furent certes également élevés sous le joug de la pédagogie noire, mais n'ont pas éprouvé le besoin de conquérir un pouvoir illimité. À la différence de ces tyrans, ils n'ont pas dirigé leurs sentiments refoulés de rage et de révolte contre les autres, mais les ont retournés contre eux. Ils sont tombés malades, ont souffert de diverses affections, sont parfois morts très jeunes. Les plus doués d'entre eux se sont distingués dans la littérature ou les beaux-arts, où ils pouvaient certes exprimer la vérité par leurs œuvres, mais uniquement en la coupant de leur propre vie, et cette déconnexion, ils l'ont payée par la maladie. Je présente, dans la première partie de ce livre, des exemples de ces destinées tragiques.

Lors d'une recherche menée à San Diego, on a demandé à 17 000 personnes, dont l'âge moyen était de cinquante-sept ans, comment s'était passée leur enfance et de quelles maladies ils avaient souffert au cours de leur existence. Il est apparu que le nombre de maladies graves est considérablement supérieur chez les anciens enfants maltraités qui ont subi des sévices et ont été battus « pour leur éducation ». Ceux qui ne l'ont pas été déclarèrent qu'ils étaient, dans l'ensemble, en bonne santé. Le compte-rendu de l'enquête fut publié dans un court article intitulé « Comment l'on transforme l'or en plomb », et le commentaire de l'auteur, qui me l'a envoyé, disait : ces résultats sont sans ambiguïté, hautement révélateurs, mais ils restent cachés, secrets.

Pourquoi ? Parce que ces faits ne peuvent être publiés sans entraîner une mise en accusation des parents, ce qui, dans notre société, demeure interdit – et je dirai même : plus interdit que jamais. Car, de nos jours, nombre de spécialistes soutiennent fermement la théorie selon laquelle les troubles psychiques de l'adulte sont imputables à son patrimoine génétique mais non à des blessures réelles subies dans l'enfance et à des défaillances parentales. Les recherches menées dans les années 70 sur l'enfance des schizophrènes sont elles aussi restées confinées dans les revues spécialisées et inconnues du grand public. La croyance en la génétique poursuit sa marche triomphale. Pourtant le psychologue britannique Oliver James en convient lui-même dans son dernier livre[1], qui démontre, en s'appuyant sur de nombreuses recherches et études, que les facteurs génétiques ne jouent qu'un rôle négligeable dans le développement des troubles psychiques. Cette lecture, toutefois, laisse une impression ambivalente, car l'auteur recule devant les conséquences de ses travaux, et même stipule expressément qu'il ne faut pas attribuer aux parents une responsabilité dans les souffrances de leurs enfants.

Or nombre des thérapies actuelles évitent soigneusement d'aborder la question de l'enfance. On commence, certes, par encourager le patient à se laisser aller à ses émotions fortes qui vont, en effet, faire émerger les vieux souvenirs refoulés, souvenirs de mauvais traitements, de l'exploitation, des humiliations et des blessures subies dans la prime enfance. Mais le thérapeute se sent souvent dépassé et d'autant plus désemparé qu'il n'a pas personnellement affronté la vérité sur son enfance. Or, comme on l'a dit, rares sont les thérapeutes qui ont effectué cette démarche ; la plupart rappellent à leur patient les principes de la pédagogie noire, c'est-à-dire précisément les règles morales qui l'ont rendu malade.

Le corps ne comprend absolument pas cette morale, il n'a que faire du Quatrième Comman-

1. *They F... You up,* Bloomsbury, 2003.

dement, et, à la différence de notre raison, il ne se laisse pas duper par de belles paroles. Le corps est le gardien de notre vérité car il porte en lui l'expérience de toute notre vie et veille à nous la rappeler. Il nous oblige, en manifestant divers symptômes, à accéder à cette vérité également sur le plan cognitif, afin que nous puissions communiquer harmonieusement avec l'enfant méprisé et humilié qui vit toujours en nous.

Personnellement, j'ai été dressée à l'obéissance dès les premiers mois de ma vie. Bien entendu, pendant des décennies, je ne l'ai jamais soupçonné. Au dire de ma mère, j'étais un jeune enfant si sage que je ne lui causais aucun problème. Elle le devait, de son propre aveu, à l'éducation stricte qu'elle m'avait donnée lorsque j'étais encore un nourrisson sans défense. Je n'avais aucun souvenir de cette époque. C'est seulement au cours de ma dernière thérapie que mes émotions fortes m'ont informée de ce passé. Elles se montraient certes, dans leur expression, liées à d'autres personnes, mais je réussis progressivement à déceler leurs origines, à les intégrer sous forme de sentiments explicables et, de la sorte, à reconstituer l'histoire de mon enfance. J'ai pu, de cette manière, me délivrer de mes vieilles peurs jusqu'alors incompréhensibles, et, grâce à un accompagnement empathique, faire cicatriser les vieilles plaies.

Ces peurs affectaient en premier lieu mon besoin de communication, auquel non seulement ma mère n'avait jamais répondu, mais encore qu'en vertu de son sévère système d'éducation elle punissait comme une inconvenance. Ma quête de contacts et d'échanges s'exprima, dans un premier temps, par des pleurs, puis par des questions et la verbalisation de mes pensées et sentiments. Cependant mes larmes me valaient des tapes, mes questions des réponses mensongères et l'on m'interdit de dire ce que je pensais et éprouvais. Ma mère avait coutume, pour me punir, de ne pas m'adresser la parole des journées entières, et je me sentais perpétuellement sous la menace de ce silence. Comme elle me refusait d'exister vraiment, il me fallait en permanence lui cacher mes sentiments. Ma mère était portée à de violentes explosions, mais totalement incapable de se placer à un autre point de vue que le sien et de remettre en question ses émotions. Comme, depuis son enfance, elle était elle-même frustrée et insatisfaite, elle me jugeait continuellement coupable de quelque chose. Lorsque je m'élevais contre cette injustice et, dans des cas extrêmes, tentais de lui démontrer mon innocence, elle y voyait une attaque, qu'elle punissait souvent très durement. Elle confondait les émotions et les faits. Lorsqu'elle se *sentait* agressée par mes explications, il était parfaitement établi à ses yeux que je l'avais agressée. Se rendre compte que ses sentiments avaient d'autres causes que mon comportement aurait exigé davantage de souplesse d'esprit. Je ne l'ai jamais vue manifester un regret : elle se sentait toujours dans son droit. Bref, j'ai vécu mon enfance sous un régime totalitaire.

Ce pouvoir destructeur du Quatrième Commandement, je vais l'aborder sous trois aspects différents. *Dans la première partie,* je retracerai des moments de la vie de plusieurs écrivains qui, dans leurs œuvres, ont dépeint la vérité de leur enfance, sans pour autant en prendre conscience, bloqués qu'ils étaient par la peur du petit enfant qui subsistait en eux, dans un recoin isolé de leur être, et qui, même à l'âge adulte, les rendait incapables de saisir que la vérité ne les mettrait pas en danger de mort. Comme dans nos sociétés, mais aussi dans le monde entier, cette peur est étayée par le commandement de ménager nos parents, elle demeure un élément déconnecté, sur lequel tout travail est impossible. Le prix de la prétendue solution – la fuite dans une idéalisation des parents, le déni du réel danger, encouru dans la petite enfance, et qui laisse dans le corps des peurs justifiées –, ce prix est très élevé, comme nous le verrons à travers les exemples cités. On pourrait, malheureusement, en ajouter d'innombrables. Les cas exposés ci-dessous montrent clairement que ces hommes ont payé leur attachement à leurs parents par de graves maladies, ou par une mort prématurée, voire par un suicide. En fardant la vérité sur leur enfance et ses souffrances, ils se sont placés en contradiction formelle avec le savoir de leur corps, qui s'exprimait certes dans leurs écrits mais demeurait inconscient. De ce fait leur corps, habité par l'enfant méprisé, a continué à se sentir incompris et non respecté. Ses fonctions, telles la respiration, la circulation sanguine, la digestion, ne réagissent qu'à des *émotions vécues*, non à des injonctions morales. Le corps s'en tient aux faits.

Depuis que j'étudie l'influence de l'enfance sur la vie adulte, j'ai lu un grand nombre de journaux intimes et de lettres d'écrivains qui m'intéressent particulièrement. J'y ai trouvé, issues des premières années de leur vie, des indices pour la compréhension de leur œuvre, de leur quête et de leur souffrance. Cette clé d'interprétation n'accédait ni à leur conscience ni à leur vie affective, pourtant je la percevais dans leurs œuvres – par exemple chez Dostoïevski, Nietzsche ou Rimbaud – et pouvais supposer que les autres lecteurs faisaient de même. Je me suis aussi plongée dans les biographies de ces auteurs, et j'ai constaté qu'elles fourmillaient de détails sur leurs vies, sur des événements extérieurs, mais ne disaient pratiquement rien sur la façon dont ces écrivains avaient surmonté les traumatismes de leur enfance, sur leurs blessures et les traces qu'elles avaient laissées. Dans mes entretiens avec des spécialistes de la littérature, j'ai constaté qu'ils ne paraissaient guère s'intéresser à ce sujet. Devant mes questions, la plupart d'entre eux prenaient un air embarrassé, comme si je leur avais parlé de quelque chose d'inconvenant, voire d'obscène, et détournaient la conversation.

Certains, cependant, m'ont écoutée avec attention et m'ont fourni de précieux éléments biographiques qu'ils connaissaient depuis longtemps mais jugeaient jusqu'alors sans importance. Ce sont précisément ces liens entre les événements, passés inaperçus, voire ignorés de la plupart des biographes, que je mets en lumière dans la première partie de ce livre. Cela m'a conduit à me limiter à une seule perspective et à renoncer à la peinture d'autres aspects, également importants, de leurs vies. Mes récits peuvent donc apparaître schématiques ou réducteurs, mais j'assume ce parti, car je ne voudrais pas qu'une surabondance de détails vienne distraire le lecteur du fil rouge de cet ouvrage : la mise en évidence des rapports du corps avec la morale.

Tous les écrivains présentés, à l'exception peut-être de Kafka, ignoraient que, lorsqu'ils étaient petits, leurs parents leur avaient infligé de rudes souffrances. Adultes, ils n'ont « rien eu à leur reprocher », du moins consciemment, et les ont idéalisés. Il est donc totalement irréaliste de penser qu'ils auraient pu confronter leurs parents à cette vérité qui leur demeurait à eux-mêmes inconnue, car refoulée de leur conscience.

Cette ignorance a marqué d'un sceau tragique leur bien souvent courte vie. *Les préceptes moraux ont empêché ces êtres pourtant brillants d'écouter ce que leur corps leur révélait.* Ils ont été incapables de voir qu'ils sacrifiaient leur vie à leurs parents, cependant que, dans le même temps, Schiller combattait pour la liberté, Rimbaud et Mishima brisaient – à première vue du moins – tous les tabous, Joyce bouleversait les canons littéraires et esthétiques de son époque, et Proust perçait à jour la bourgeoisie, tout en étant aveugle aux tourments que lui faisait subir sa bourgeoise de mère. C'est sur ces aspects, précisément, que je me suis concentrée car, à ma connaissance, rien n'a encore été publié sur le sujet.

Depuis Wilhelm Reich et, par la suite, la thérapie primale d'Arthur Janov, l'expérience thérapeutique ne cesse de nous montrer que des émotions fortes enfouies peuvent être rappelées à la surface. Mais ce sont seulement les récents travaux de la recherche sur le cerveau, réalisés, entre autres, par Joseph LeDoux, Antonio R. Damasio et Bruce Perry qui nous ont fourni des explications plus approfondies sur ce phénomène. Nous savons donc à présent, d'une part, que notre corps conserve en mémoire tout ce que nous avons vécu et, d'autre part, que, grâce au travail thérapeutique sur nos émotions, nous ne sommes plus condamnés à les décharger aveuglément sur nos enfants ou sur nous-mêmes, avec les dégâts qui s'ensuivent. C'est pourquoi, *dans la seconde partie,* je présenterai les cas d'hommes et de femmes d'aujourd'hui décidés à affronter la vérité de leur enfance et à voir leurs parents sous leur vrai jour. Si, malheureusement, bien des thérapies sont vouées à l'échec, c'est qu'elles s'obstinent à suivre les impératifs de la morale, empêchant ainsi le patient de se libérer, même à l'âge adulte, de l'idée qu'il *doit* éprouver de l'amour ou de la gratitude envers ses parents. De ce fait, ses véritables sentiments restent bloqués, ce dont il paiera le prix, car divers symptômes seront le signe de ce refoulement. Je suis persuadée que bien des gens qui ont effectué plusieurs tentatives de thérapie se reconnaîtront aisément dans ce type de problématique.

À côté de la question du pardon, que j'ai déjà explorée [1], mes travaux sur les rapports entre le corps et la morale m'ont amenée à en étudier deux autres aspects. D'une part, je me suis demandé ce qu'était au fond ce sentiment qu'à l'âge adulte nous appelons toujours « amour filial ». D'autre part, j'ai pu observer que le corps cherche, tout au long de la vie, la nourriture qu'il

1. Dans *La Connaissance interdite* et *Abattre le mur du silence*, Aubier, 1990.

n'a pas reçue dans l'enfance, et c'est précisément là, à mon avis, l'origine des souffrances qui ravagent l'existence de tant d'entre nous.

La troisième partie montre comment, à travers une très expressive « maladie parlante », le corps se défend contre une nourriture inappropriée. Le corps ne veut que la vérité. Tant que celle-ci n'est pas reconnue, que les véritables sentiments de la personne envers ses parents demeurent ignorés, il ne peut renoncer aux symptômes de son mal. J'ai voulu montrer, dans un langage accessible, le drame des patients souffrant de troubles de la conduite alimentaire, ces êtres qui ont grandi privés de communication émotionnelle et qui, par la suite, ne la trouvent pas non plus dans leurs divers traitements. Si mes descriptions pouvaient aider quelques-uns de ces malades à mieux se comprendre, j'en serais heureuse. Le Journal d'Anita Fink – un texte de fiction que nous évoquerons en dernière partie – identifie clairement la source de ces maux (il s'agit du cas frappant d'une anorexique, mais cela touche bien entendu d'autres maladies) : c'est l'échec d'une véritable communication de l'enfant avec ses parents, communication qu'il va inlassablement rechercher, mais en vain, par la suite. Pourtant l'adulte peut progressivement renoncer à cette quête si, au présent, une authentique communication avec d'autres personnes se révèle possible.

La tradition du sacrifice des enfants est profondément ancrée dans la plupart des sociétés et des religions, de sorte que notre culture européenne la tolère encore. Certes, nous ne sacrifions plus, comme à l'époque d'Abraham et d'Isaac, nos fils et nos filles à la divinité, mais, dès la naissance, puis à travers toute notre éducation, nous leur donnons mission de nous aimer, nous honorer et nous respecter, d'accomplir des performances pour nous, de satisfaire notre orgueil, bref de nous apporter tout ce que nos propres parents nous ont refusé. Nous appelons cela bienséance et bonne moralité. L'enfant a rarement le choix. Il va, dans certains cas, s'astreindre sa vie entière à offrir à ses parents quelque chose dont il ne dispose pas et qu'il ne connaît pas, faute de l'avoir reçu : un amour vrai, inconditionnel, pas seulement de façade. Il s'y évertuera néanmoins, car, même à l'âge adulte, il pense avoir toujours besoin d'eux et, en dépit de toutes les déceptions, continue à espérer qu'ils lui témoigneront de la bonté. Si l'adulte ne se soulage pas de ce fardeau, cela peut lui devenir fatal.

Le vif désir de beaucoup de parents d'être aimés et honorés de leurs enfants puise sa prétendue légitimité dans le Quatrième Commandement. J'ai vu par hasard à la télévision une émission consacrée à ce thème réunissant des autorités religieuses de diverses confessions. Toutes ont déclaré que l'on doit honorer ses parents quels que soient leurs agissements. On cultive ainsi la dépendance de l'enfant. Plus encore que quiconque, les croyants ignorent qu'adultes, ils peuvent se dégager de cette sujétion. Pourtant, à la lumière de nos connaissances actuelles, le Quatrième Commandement recèle une contradiction interne. La morale peut certes nous prescrire ce que nous devrions *faire* et ce qui nous *est interdit*, mais non ce que nous devrions *ressentir*. Car nos véritables sentiments, nous ne pouvons ni les susciter ni les supprimer, nous pouvons seulement nous couper d'eux par le mécanisme du clivage, nous mentir et tromper notre corps. Cependant, comme on le sait, notre cerveau a emmagasiné nos émotions, elles peuvent être rappelées à la surface, revivre et heureusement, du moment que nous serons accompagnés par un témoin lucide, se transformer sans danger en sentiments conscients dont nous pourrons décrypter le sens et les causes.

L'étrange idée de devoir aimer Dieu afin qu'il ne me châtie pas pour ma révolte et me récompense par son amour et son infinie miséricorde est également l'expression de notre dépendance et de notre faiblesse infantiles, tout comme l'idée que Dieu serait, comme nos parents, avide de notre amour. Mais n'est-ce pas là, au fond, une vue parfaitement grotesque ? Un être supérieur qui se trouve tributaire de sentiments artificiels, puisque dictés par la morale… cela ressemble fort à la condition de nos parents, toujours sous le joug de leurs anciennes frustrations et incapables de parvenir à l'autonomie. Seuls des gens qui n'ont encore jamais remis en question leurs propres parents et leur propre dépendance peuvent désigner un tel être du nom de Dieu.

I

DIRE ET CACHER

« Car je préfère avoir des crises et te plaire plutôt que te déplaire et de n'en point avoir. »

Marcel Proust, lettre à sa mère

1.
Crainte et respect des parents

Dostoïevski, Tchekhov, Kafka, Nietzsche

Deux écrivains russes, Tchekhov et Dostoïevski, ont énormément marqué ma jeunesse. Plus tard, j'ai découvert avec quelle efficacité sans faille fonctionnait, au XIXe siècle encore, le mécanisme de la « déconnexion ». Quand j'ai enfin réussi à abandonner mes illusions sur mes parents et à mesurer les répercussions de leurs mauvais traitements sur ma vie, j'ai ouvert les yeux sur des faits auxquels, auparavant, je n'accordais pas d'importance. Par exemple, j'avais lu dans une biographie de Dostoïevski que son père, après avoir exercé la médecine, avait hérité dans sa vieillesse d'un domaine où travaillaient une centaine de serfs. On sait qu'il les traita si cruellement qu'ils finirent, un jour, par le battre à mort. Il est probable que la brutalité du maître ait largement dépassé la mesure habituelle, car, sinon, comment expliquer que des serfs se soient exposés à la peine de bannissement plutôt que de continuer à supporter un régime de terreur ? Selon toute vraisemblance, le fils aîné d'un tel homme avait dû pâtir de cette violence ; j'ai donc voulu savoir comment un romancier connu dans le monde entier avait intégré cette situation dans son histoire personnelle. Je connaissais, bien entendu, sa description du père impitoyable dans *Les Frères Karamazov*, mais je voulais savoir quelle était, dans les faits, sa relation avec son père. J'ai donc cherché dans ses lettres. Je n'en ai trouvé aucune qui lui soit adressée et dans toute la correspondance il n'est mentionné qu'une seule fois, en des termes censés attester de tout l'amour et le respect que lui vouait son fils. En revanche, dans presque toutes ses lettres, Dostoïevski se plaint de ses difficultés financières et sollicite des aides sous forme de prêts. À mes yeux, on peut y lire clairement la peur d'un enfant perpétuellement menacé dans son existence même, ainsi que son désir désespéré de trouver auprès du destinataire de la bienveillance et un peu de compréhension pour sa détresse.

On sait que Dostoïevski avait une très mauvaise santé. Il souffrait d'insomnies chroniques et se plaignait de cauchemars qui reflétaient probablement, sans qu'il en prenne conscience, les traumatismes de son enfance. En outre, il fut atteint, des décennies durant, de crises d'épilepsie. Cependant, personne ne semble avoir fait la relation entre ces attaques et les souffrances de ses jeunes années. Et personne n'a perçu que derrière sa passion du jeu – il était véritablement accro de la roulette – se cachait la quête d'un sort plus clément. Sa femme l'aida certes à se libérer de cette drogue, mais elle ne put lui tenir lieu de témoin lucide et à l'époque plus encore qu'aujourd'hui il était hors de question de proférer des accusations contre son propre père.

J'ai trouvé un tableau analogue chez Anton Tchekhov, qui, dans son récit *Le Père*, décrit avec sans doute beaucoup de précision la personne de son propre père, ancien serf et alcoolique. Il s'agit, dans cette nouvelle, d'un ivrogne qui vit aux crochets de ses fils, se vante de leurs succès afin de dissimuler sa propre vanité mais n'a jamais essayé de voir qui ils sont vraiment, et ne témoigne en aucune façon de tendresse ou de dignité personnelle. Ce récit est considéré comme une œuvre purement littéraire, et l'auteur l'a totalement dissocié de sa vie consciente. S'il avait pu ressentir comment son père l'avait réellement traité, il aurait probablement été révolté. Au lieu de cela, il a entretenu toute sa famille, y compris quand ses revenus étaient encore très faibles. Il payait le loyer de l'appartement de ses parents à Moscou, s'occupait affectueusement d'eux et de ses frères. Mais je n'ai trouvé dans sa correspondance que fort peu d'allusions à son père. Les rares lettres où il le mentionne attestent d'une attitude bienveillante et pleine de compréhension à son égard. L'on n'y décèle pas la moindre trace de rancœur pour les cruelles raclées que, dans son enfance, son père lui infligeait presque quotidiennement. Vers l'âge de trente ans, Tchekhov passa quelques mois sur l'île de Sakhaline, qui était une colonie pénitentiaire, afin, expliqua-t-il, de décrire la vie terrible des déportés et les sévices qu'on leur faisait subir. Il ne se rendait sans doute pas compte qu'il était leur semblable. Il mourut à quarante-quatre ans, et la plupart des biographes imputent cette mort prématurée aux atroces conditions de vie sur l'île de Sakhaline. C'est oublier qu'Anton Tchekhov avait souffert toute son existence de tuberculose, tout comme son frère Nicolaï, qui succomba plus jeune encore.

Dans *L'Enfant sous terreur*, j'ai montré que certains auteurs – c'est le cas, notamment, de Kafka – avaient pu survivre grâce à l'écriture, mais que celle-ci n'avait pas suffi à délivrer complètement l'enfant enfoui en eux, à lui rendre sa vitalité, sa sensibilité et un sentiment de sécurité. Pour y parvenir, le secours d'un témoin lucide est indispensable.

Franz Kafka trouvait en Milena, et surtout en sa sœur Ottla, des témoins de sa souffrance. Il pouvait se confier à elles, mais non leur parler des peurs de sa petite enfance et de ce que lui avaient infligé ses parents. Cela restait tabou. Il a certes, en fin de compte, écrit la célèbre *Lettre à mon père*, mais il ne la lui a pas envoyée, il l'a adressée à sa mère en la priant de la lui remettre. Il espérait que, grâce à cette lettre, elle comprendrait enfin sa souffrance et lui servirait de médiatrice. Mais la mère garda la missive par-devers elle et n'essaya jamais de parler avec son fils de son contenu. Or Kafka était hors d'état de se confronter seul avec son père. Il était beaucoup trop terrifié par la menace du châtiment. Il nous suffit, pour le comprendre, de songer à son récit *Le Verdict*, qui décrit cette angoisse. Kafka n'avait malheureusement personne qui aurait pu l'encourager à braver sa peur et à envoyer cette lettre. Cela l'aurait peut-être sauvé. Tout seul, il était incapable d'oser franchir ce pas. Il contracta la tuberculose et mourut à quarante et un ans.

Il existe des analogies entre l'histoire de Kafka et celle de Nietzsche, dont j'ai relaté le sort tragique dans *La Connaissance interdite* et *Abattre le mur du silence*. Je vois en l'œuvre grandiose de Nietzsche un cri, appelant l'homme à se libérer du mensonge, de l'exploitation, de l'hypocrisie et de son propre conformisme. Mais personne, et lui moins que tout autre, n'a su combien, encore enfant, il avait souffert de ces fléaux. Son corps, cependant, en ressentait sans répit le fardeau. Il n'était encore qu'un petit garçon lorsqu'il fut atteint de rhumatismes qui, de même que ses violents maux de tête, étaient certainement imputables à la répression des émotions fortes. Il avait en outre quantité d'autres problèmes de santé : il lui arrivait de tomber malade jusqu'à, semble-t-il, une centaine de fois durant une même année scolaire. Personne ne pouvait s'apercevoir qu'il souffrait, en réalité, de la morale mensongère qui imprégnait sa vie quotidienne, puisque tout le monde baignait dans la même atmosphère. Mais son organisme ressentait ces mensonges avec plus d'acuité que celui des autres. Si quelqu'un l'avait aidé à accepter le message de son corps, Nietzsche n'aurait pas été condamné à « perdre la raison » afin de pouvoir jusqu'à la fin de ses jours rester aveugle à sa propre vérité.

2.
Schiller ou les cris du corps humilié

Aujourd'hui encore, l'on prétend souvent que battre un enfant ne lui cause aucun dommage et beaucoup de gens estiment que leur propre vie en atteste. Ils peuvent le croire tant que reste masquée la relation entre les maladies dont ils souffrent à l'âge adulte et les coups reçus dans leur enfance. L'exemple de Schiller illustre le parfait fonctionnement de cette occultation, pratiquée tout au long des siècles sans susciter le moindre questionnement.

Friedrich von Schiller a vécu les trois premières années de sa vie – cette période décisive – seul avec sa mère. Auprès de cette femme aimante, il a pu développer sa riche nature et son génie. Il était dans sa quatrième année lorsque son despote de père revint de guerre. Friedrich Burschell, le biographe de Schiller, le dépeint comme un homme sévère, impatient, coléreux, « borné et têtu ». Sa conception de l'éducation visait à juguler la spontanéité et l'expression créative de son enfant débordant de joie de vivre. Cependant, Schiller réussit brillamment à l'école, grâce à son intelligence et à l'authenticité que la sécurité affective connue auprès de sa mère dans ses premières années lui avait permis de développer. Mais à treize ans il fut envoyé dans un prytanée militaire et, sous ce régime à la prussienne, souffrit horriblement. Comme plus tard le jeune Nietzsche, il fut atteint de nombreuses maladies, passant des semaines entières à l'infirmerie, ne parvenant pas à se concentrer et comptant parmi les plus mauvais élèves. On expliqua la chute de ses résultats par ses ennuis de santé, et il ne vint apparemment à l'idée de personne que l'absurde et inhumaine discipline de l'internat, qu'il dut subir pendant huit ans, l'épuisait totalement, sur le plan tant physique

que psychique. Pour exprimer sa détresse, il n'avait pas trouvé d'autre langage que la maladie, ce langage muet du corps que, des siècles durant, personne ne comprit.

À propos de cette école, Friedrich Burschell écrit ce qui suit :

« Ici s'éteignit la torrentueuse fougue d'un être jeune, assoiffé de liberté, qui, dans ses années les plus impressionnables, devait se sentir en prison, car les portes de l'établissement ne s'ouvraient que pour la promenade obligatoire, que les élèves effectuaient sous surveillance militaire. Durant ces huit années, Schiller n'eut quasiment pas une journée de libre et seulement, de temps à autre, quelques heures de loisir. À l'époque, les vacances scolaires étaient chose inconnue, et l'on ne donnait pas de permissions. L'emploi du temps était réglé avec une rigueur toute militaire. Dans les vastes dortoirs, réveil à 5 heures du matin en été, 6 heures en hiver. Les élèves faisaient leur lit et leur toilette, sous la surveillance de sous-officiers. Ensuite ils se rendaient à la salle de régulation pour l'appel du matin, et de là au réfectoire pour le petit déjeuner, composé de pain et d'une soupe à la farine. Tout se faisait sur commande : joindre les mains pour la prière, s'asseoir, se mettre en marche pour quitter les lieux. De 7 heures à midi, les cours. Puis venait la demi-heure qui valait à l'élève Schiller le plus de corrections et le qualificatif de sale porc : la séance de nettoyage, dite « Propreté ». Après quoi l'on revêtait la tenue de parade, tunique bleu acier aux revers noirs, veste et culotte blanches, bottes et épée, le tricorne à bordure galonnée et plumet. Comme le Duc avait horreur des roux, Schiller devait poudrer sa chevelure. De plus, il portait, comme tous les autres, une longue natte artificielle et deux anglaises fixées à ses tempes par du plâtre. Ainsi accoutrés, les élèves se rendaient, en rang, à l'appel de midi, puis dans la salle à manger. Après le repas, promenade et exercices, puis reprise des cours, de 2 à 6, et aussitôt après, nouvelle séance de Propreté. Ensuite, on faisait ses devoirs. On allait se coucher immédiatement après le dîner. Le jeune Schiller resta ligoté dans la camisole de force de cet emploi du temps immuable jusqu'à sa vingt et unième année[1]. »

Schiller souffrait à répétition de crampes, très douloureuses, à divers organes. À partir de quarante ans suivirent une série de graves maladies qui mettaient perpétuellement sa vie en danger et s'accompagnaient souvent de délire. Il succomba à l'âge de quarante-six ans.

Il est hors de doute, à mes yeux, que ces fortes crampes étaient imputables aux nombreux châtiments corporels subis dans son enfance et à la cruelle discipline à laquelle il fut soumis durant ses années de jeunesse. Sa captivité avait en fait commencé dès avant le prytanée, sous la férule de son père qui combattait systématiquement tout sentiment de joie, aussi bien pour lui que pour ses enfants – il nommait cela « autodiscipline ». Ceux-ci devaient, par exemple, cesser immédiatement de manger et se lever de table s'ils prenaient plaisir au repas. Le père, d'ailleurs, faisait de même. Cette forme bizarre de

1. Friedrich Burschell, *Friedrich Schiller in Selbstzeugnissen und Bilddokumenten*, Rowohlt Taschenbuch Verlag, 1979, p. 25.

répression de toute jouissance était peut-être exceptionnelle, mais, à l'époque, bien des familles appliquaient le système en vigueur dans les écoles militaires, dit « à la prussienne », sans que nul ne songe à ses conséquences. Dans ces établissements les coups et nombre d'autres méthodes d'humiliation étaient fréquents ; les « éducateurs » y étaient du reste si parfaitement « formés » qu'ils purent, par la suite, les infliger sans scrupules ni sentiments de culpabilité à d'autres êtres qui se trouvaient en leur pouvoir, leurs enfants ou, en l'occurrence, les élèves d'un internat. Schiller n'éprouva pas le besoin de se venger sur autrui du régime de terreur enduré dans sa jeunesse, mais son corps en souffrit sa vie durant.

Bien entendu, l'enfance de Schiller n'est pas un cas isolé. Des millions d'hommes ont fréquenté de semblables écoles, ont appris à se plier en silence aux abus de pouvoir de l'autorité afin d'éviter de durs châtiments. Ces expériences ont contribué à leur inculquer un grand respect pour le Quatrième Commandement et à leur faire enseigner à leurs enfants, avec la plus extrême rigueur, à ne jamais remettre leur autorité en question. Rien d'étonnant, donc, à ce que, des générations plus tard et aujourd'hui encore, leurs descendants affirment que les coups leur ont fait du bien.

Schiller, il est vrai, constitue une exception en ce qu'il a poursuivi dans toute son œuvre, des *Brigands* à *Guillaume Tell*, une lutte incessante contre la violence aveugle exercée par les gouvernants et a réussi, par le génie de sa langue, à éveiller chez beaucoup de gens l'espoir que ce combat pourrait un jour être gagné. Mais il a toujours ignoré que sa révolte contre les ordres absurdes des détenteurs du pouvoir puisait dans les très anciennes expériences de son corps. Les souffrances causées par la tyrannie de son père, avec ses exigences incompréhensibles et angoissantes, l'ont poussé à écrire. Mais il lui est interdit de percevoir cette motivation. Il veut écrire de la belle et grande littérature. Il veut dire la vérité en portraiturant des figures historiques, et il y réussit magnifiquement. Seule l'entière vérité sur les tourments infligés par son père demeure enfouie sous une chape de silence, et lui-même l'ignorera jusqu'à sa mort prématurée. Tout comme la postérité qui, depuis deux siècles, l'admire et le considère comme un exemple parce que, dans ses œuvres, il a lutté pour la liberté et la vérité. Mais, on le voit, cette vérité n'est que celle que pouvait admettre la société et, de fait, le courageux Friedrich von Schiller aurait été épouvanté si quelqu'un lui avait dit : « Tu n'es pas forcé d'honorer ton père. Tu n'es pas forcé d'aimer ni d'honorer des gens qui t'ont fait tant de mal, fussent-ils tes parents. Ton corps le paie par d'atroces douleurs. Tu peux t'en libérer en cessant d'observer le précepte du Quatrième Commandement. »

3.
Virginia Woolf
ou la trahison des souvenirs

On sait que Virginia Woolf et sa sœur Vanessa furent abusées sexuellement par leurs deux demi-frères. Selon Louise DeSalvo (1990), l'écrivain n'a cessé de revenir, dans son long journal intime, sur cette affreuse période, où elle n'osait se confier à ses parents parce qu'elle ne pouvait en attendre aucune aide. Elle souffrit toute sa vie de dépression mais trouva cependant la force de travailler à son œuvre littéraire, dans l'espoir de pouvoir s'exprimer par ce biais et surmonter enfin les terribles traumatismes de son enfance. Mais, en 1941, la dépression l'emporta et Virginia Woolf se jeta dans le fleuve.

J'ai déjà évoqué le cas de Virginia Woolf dans *L'Enfant sous terreur*, mais il me manquait alors une information importante : Louise DeSalvo rapporte qu'après sa lecture des ouvrages de Freud Virginia Woolf se mit à douter de l'authenticité des souvenirs qu'elle venait juste de relater dans ses écrits autobiographiques (et pourtant elle avait appris de Vanessa que celle-ci avait également subi les abus sexuels de ses demi-frères). Dès lors, raconte DeSalvo, Virginia s'efforça, à l'exemple de Freud, de ne plus considérer le comportement humain comme la conséquence logique d'événements vécus dans l'enfance, mais comme le résultat de fantasmes et comme la satisfaction imaginaire de désirs inconscients. Les écrits de Freud plongèrent Virginia Woolf dans un profond désarroi : d'un côté elle savait exactement ce qui lui était arrivé, de l'autre elle souhaitait, comme presque toutes les anciennes victimes de violences sexuelles, que ce que lui disait sa mémoire ne fût pas vrai. En fin de compte, elle opta pour les thèses de Freud et sacrifia sa mémoire sur l'autel du déni. Elle se mit à idéaliser ses parents et, à la différence de ce qu'elle faisait auparavant, à peindre toute sa famille sous un jour très positif. Après s'être ralliée aux idées de Freud, elle douta d'elle-même et, désorientée, finit par se croire folle. DeSalvo écrit :

« Je suis persuadée que sa décision de mettre fin à ses jours s'en trouva renforcée, et on peut le prouver. La lecture de Freud a sapé les fondements de la relation de cause à effet qu'elle avait tenté de dégager. Elle se vit contrainte d'abandonner sa propre explication aux causes de sa dépression et de son état mental. Jusqu'alors, elle avait présumé que ses troubles provenaient de l'inceste subi dans son enfance, mais, à en croire Freud, il fallait envisager d'autres possibilités : ses souvenirs pouvaient être déformés, en tout cas inexacts, ils représentaient une projection de ses désirs plutôt que des événements réellement vécus, il s'agissait d'un produit de son imagination[1]. »

Même si je ne peux suivre L. De Salvo dans toutes ses conclusions (la romancière fit d'autres tentatives de suicide avant la lecture de Freud), je pense que Virginia Woolf ne se serait pas suicidée si elle avait rencontré un témoin lucide, avec qui partager les sentiments provoqués en elle par les horreurs subies à un âge tendre. Il est un fait qu'elle n'avait personne, et tenait Freud pour l'incontestable expert en la matière. Ce en quoi elle se trompait lourdement, mais ses écrits l'avaient déboussolée et elle préférait désespérer d'elle-même plutôt que de la grande figure paternelle de Sigmund Freud.

1. Traduit de Louise DeSalvo, *Virginia Woolf : the Impact of Childhood Sexual Abuse on her Life and Work*, The Women's Press, 1989.

4.
Arthur Rimbaud ou la haine de soi

Arthur Rimbaud, né en 1854, mourut d'un cancer, quelques mois après l'amputation de sa jambe droite, en 1891, à l'âge de trente-sept ans.

Sa mère, rapporte Yves Bonnefoy, était une femme dure et brutale, et, précise-t-il, toutes les sources s'accordent à ce sujet.

« Madame Rimbaud fut un être d'obstination, d'avarice, d'orgueil, fière, de haine masquée et de sécheresse. Une figure d'énergie pure portée par une foi aux couleurs de bigoterie, amoureuse d'ailleurs, s'il faut en croire ses lettres extraordinaires de 1900, de l'anéantissement, de la mort. Je ne puis citer pour son portrait, qui cependant les exige, ces constats enthousiastes d'inhumation ou d'exhumation. Disons simplement qu'à soixante-quinze ans elle se fait descendre par les fossoyeurs dans sa tombe, entre Vitalie et Arthur morts, pour un avant-goût de la nuit [1]. »

Grandir auprès d'une telle femme, qu'est-ce que cela a pu signifier pour un enfant intelligent et sensible ? La réponse se trouve dans la poésie de Rimbaud. Son biographe écrit plus loin :

« Elle a essayé d'interrompre également sa maturation pourtant nécessaire. Elle a voulu étouffer au moins son désir d'indépendance, de liberté. La conséquence fut, chez celui qui s'est senti orphelin, une ambivalence profonde, à la fois haineuse et fascinée. De n'être pas aimé Rimbaud a obscurément déduit qu'il était coupable, et de toute la force de son innocence, il s'est durement retourné contre son juge. »

1. Yves Bonnefoy, *Rimbaud*, Seuil, rééd. 1994.

La mère tient ses enfants totalement sous sa férule et baptise cela amour maternel. Son fils, un garçon clairvoyant, perce à jour ce mensonge, se rend compte que le souci permanent des apparences n'a rien à voir avec le véritable amour, mais ne peut accepter pleinement ce constat car, comme tout enfant, il a absolument besoin d'amour, tout au moins de l'illusion de l'amour. Il n'a pas le droit de détester cette mère qui, apparemment, s'occupe tellement de lui. Il dirige donc sa haine contre lui-même, inconsciemment convaincu d'avoir mérité ce mensonge et cette froideur. Il est submergé d'un dégoût qu'il projette sur la ville de province qu'il habite, sur l'hypocrite morale ainsi que sur lui-même. Il essaiera, sa vie durant, d'échapper à ces sentiments en se réfugiant dans l'alcool, le haschich, l'absinthe et l'opium, mais aussi par de longs voyages. À l'adolescence déjà, il fait deux fugues, mais chaque fois on le ramène à la maison.

Sa poésie reflète cette haine de soi, mais aussi la quête de cet amour qui lui fut si totalement refusé durant les premières années de sa vie. Plus tard, à l'école, il a la chance de rencontrer un maître aimant qui deviendra, à la période décisive de la puberté, un ami sincère, un accompagnateur et un soutien. Cette confiance lui permet d'écrire et d'approfondir ses idées philosophiques. Son enfance, toutefois, l'emprisonne toujours dans son étau. Il tente de dissoudre dans des considérations philosophiques sur la nature du véritable amour son désespoir de n'avoir pas été aimé. Mais il reste enlisé dans l'abstraction, car si intellectuellement il rejette la morale, émotionnellement il demeure son fidèle serviteur. Il a le droit d'avoir du dégoût pour lui-même, mais non pour sa mère : entendre les douloureux messages de son corps signifierait détruire les espoirs qui, enfant, l'ont aidé à survivre. Rimbaud écrit inlassablement qu'il ne peut se fier qu'à lui-même. Que lui a-t-il donc fallu apprendre, quand il n'était qu'un petit garçon, auprès d'une mère qui, au lieu de lui donner un véritable amour, ne lui a présenté que ses aberrations et son hypocrisie ? Toute sa vie a été une grandiose tentative d'échapper, par tous les moyens possibles, à l'entreprise de destruction maternelle.

La fascination qu'éprouvent pour la poésie de Rimbaud bien des jeunes gens dont l'enfance fut semblable à la sienne vient sans doute aussi de l'obscure sensation d'y retrouver leur propre histoire.

Rimbaud était, on le sait, très lié avec Verlaine. Sa faim d'amour et de vraie communication semble, dans un premier temps, s'assouvir dans cette amitié. Mais elle ne durera pas, empoisonnée par la méfiance, issue de l'enfance, qui chez Rimbaud s'insinue constamment dans l'intimité avec un être aimé, et aussi par l'influence du passé de Verlaine. La fuite dans la drogue ne leur permet ni à l'un ni à l'autre cette relation à cœur ouvert qu'ils cherchent. Ils s'infligent mutuellement de douloureuses blessures. En fin de compte, Verlaine se comporte de façon aussi destructrice que la mère de Rimbaud. Il en arrive même, en état d'ébriété, à tirer par deux fois sur son ami, ce qui lui vaut deux ans de prison.

Pour sauver l'« amour en soi », cet amour vrai dont il a manqué dans son enfance, Rimbaud va le chercher dans la charité, la compréhension, l'empathie avec l'autre. Il veut lui donner ce qu'il n'a pas reçu. Il veut comprendre son ami, l'aider à se comprendre lui-même. Mais les émotions refoulées de ses jeunes années réduisent ses efforts à néant. L'amour du prochain prêché par la religion chrétienne ne lui apporte pas le salut, car son incorruptible perception lui interdit de se leurrer. De sorte qu'il va passer sa vie dans la quête perpétuelle de sa propre vérité, qui lui reste cachée, car il a appris très tôt à se haïr lui-même pour ce que sa mère lui a fait. Il se vit comme un monstre, voit en son homosexualité un vice et en son désespoir un péché, sans jamais s'autoriser à diriger sa fureur infinie, sa colère justifiée, contre sa source, contre la femme qui l'a maintenu captif aussi longtemps qu'elle l'a pu. Il cherchera toute sa vie à se libérer de cette geôle, par la drogue, des voyages, des illusions, et surtout par la poésie. Mais dans toutes ces tentatives désespérées d'ouvrir les portes de la libération, l'une d'elles, la principale, restera obstinément fermée : celle qui mène à la réalité émotionnelle de son enfance, aux sentiments du petit garçon qui a dû grandir en l'absence d'un père protecteur, auprès d'une femme gravement perturbée et méchante.

La biographie de Rimbaud est un exemple typique de la façon dont le corps est astreint à chercher une vie durant la vraie nourriture dont il a été si tôt privé. Rimbaud était irrésistiblement poussé à vouloir combler ce manque, à apaiser une faim qui ne pouvait plus être assouvie. Dans cette optique, sa toxicomanie, ses pérégrinations et sa relation avec Verlaine ne s'expliquent pas seulement comme une fuite de la mère, mais aussi comme la quête d'une nourriture que cette dernière lui a refusée. Du fait que cette réalité intérieure allait rester inconsciente, l'existence de Rimbaud fut placée tout entière sous le signe de la répétition. Après chaque tentative de fuite ratée, il retourne chez sa mère. C'est ce qu'il fera après la rupture avec Verlaine, et aussi à la fin de sa vie, après avoir sacrifié sa créativité, renoncé à l'écriture depuis des années et embrassé la profession de négociant : en d'autres termes, après avoir satisfait indirectement aux exigences de sa mère. Arthur Rimbaud passe certes les derniers jours de sa vie à l'hôpital de Marseille, mais auparavant il s'est fait soigner auprès de sa mère et de sa sœur à Roche, où il séjourne. Significativement, sa quête de l'amour maternel s'achève dans la prison de son enfance.

5.
Mishima, l'enfant cloîtré ou le nécessaire déni de la souffrance

Yukio Mishima, le célèbre écrivain japonais qui s'est fait hara-kiri en 1970, à l'âge de quarante-cinq ans, s'est souvent considéré comme un monstre car il avait en lui une forte propension au morbide et au pervers. Ses fantasmes tournaient autour de la mort, du monde des ténèbres, de la violence sexuelle. D'un autre côté, ses poèmes témoignent d'une extraordinaire sensibilité, sans doute mise à la torture sous le poids de la tragique histoire de son enfance.

Mishima, né en 1925, était le premier enfant de ses parents qui, comme il était encore d'usage au Japon à l'époque, vivaient sous le toit des grands-parents. Très vite, sa grand-mère, alors âgée de cinquante ans, le prit dans sa chambre, où son petit lit jouxtait le sien. Il vécut dans cette pièce pendant des années, coupé du reste du monde, entièrement livré à cette femme sujette à de graves accès de dépression, et de temps à autre à des explosions hystériques qui terrifiaient l'enfant. Elle méprisait son mari et son fils – le père de Yukio –, mais, à sa manière, idolâtrait son petit-fils, qui devait lui appartenir à elle seule. Dans ses notices autobiographiques, l'écrivain rapporte que dans la chambre qu'il partageait avec sa grand-mère régnaient une chaleur suffocante et une odeur nauséabonde, mais il ne dit mot de ses émotions, de sa rage et de sa révolte contre sa situation, car celle-ci lui paraissait tout à fait normale. À l'âge de quatre ans, il fut atteint d'une grave maladie – on diagnostiqua une mystérieuse auto-intoxication – qui plus tard se révéla chronique. C'est à l'âge de six ans, à son entrée à l'école, qu'il rencontra pour la première fois d'autres enfants, au milieu desquels il se sentit mal. Ses relations avec ses condisciples, plus libres émotionnellement et vivant dans un autre contexte familial, furent évidemment difficiles. Par la suite, ses parents déménagèrent pour s'installer dans un logement à eux, mais ils n'emmenèrent pas leur fils, qui avait alors neuf ans. C'est à cette époque qu'il commença à écrire des poèmes, et sa grand-mère lui prodigua louanges et encouragements. Lorsque, à l'âge de douze ans, il rejoignit ses parents, sa mère se montra, elle aussi, fière de son talent, mais le père déchira ses manuscrits, de sorte que Mishima fut obligé d'écrire en secret. Il ne trouvait à la maison ni chaleur ni compréhension. Sa grand-mère avait voulu en faire une fille, à présent son père décidait d'en faire un garçon, à grand renfort de coups. Pour échapper à ces mauvais traitements, il se réfugiait souvent chez sa grand-mère, dont la maison lui paraissait à présent un asile, d'autant plus apprécié qu'elle se mit, vers l'âge de douze, treize ans, à l'emmener au théâtre. Ainsi s'ouvrirent à lui les portes d'un nouveau monde : celui des sentiments.

Le suicide de Mishima représente, à mon avis, l'expression de son impuissance à exprimer des sentiments de révolte, de colère et d'indignation envers le comportement de sa grand-mère, sentiments qui remontaient à sa prime enfance mais qu'il ne s'autorisa jamais à exprimer car, malgré tout, il lui était reconnaissant. Dans sa solitude, et en comparaison du comportement de son père, l'enfant a dû voir en elle une figure salvatrice. Ses vrais sentiments restèrent captifs de son attachement à cette femme qui, dès le départ, exploita son petit-fils pour la satisfaction de ses propres besoins, y compris, probablement, sexuels. Mais les biographes font d'ordinaire silence sur ce sujet. Mishima n'en a jamais soufflé mot non plus, il a emporté son secret dans la tombe, n'a jamais affronté réellement sa vérité.

Le suicide de Mishima a été expliqué de mille et une façons. Mais on évoque rarement la cause la plus concevable, car on juge tout à fait normal, n'est-ce pas, de devoir montrer de la gratitude à ses parents, ses grand-parents ou leurs substituts, même s'ils vous ont tourmenté. Ainsi le veut notre morale. Mais celle-ci nous conduit à enfouir nos véritables sentiments et nos besoins fondamentaux. De graves maladies, des morts prématurées et des suicides sont des conséquences logiques de cette soumission à des lois universellement qualifiées de morales et qui, au fond, tant que notre conscience les tolère et les place plus haut que la vie, menacent la vraie vie d'étouffement. Comme le corps n'adhère pas à ce principe, il s'exprime dans le langage des maladies, lequel reste le plus souvent incompris tant que n'a pas été percé à jour le déni des véritables sentiments éprouvés dans l'enfance.

Bien des commandements du Décalogue sont encore recevables. Mais le Quatrième Commandement contredit les lois de la psychologie. Il faudrait absolument faire savoir que l'amour par obligation peut causer d'énormes dégâts. Les hommes et les femmes aimés dans leur enfance aimeront leurs parents sans qu'un commandement le leur ordonne. L'amour ne peut naître par obéissance à un commandement.

6.
Marcel Proust : quand l'amour maternel devient étouffant

Quiconque s'est, ne fût-ce qu'une fois dans sa vie, plongé dans le monde de Marcel Proust sait qu'il offre au lecteur une œuvre riche en sentiments, impressions, images et observations. Pour écrire avec une telle profondeur, il a dû puiser cette richesse dans son vécu. Ses livres lui ont demandé des années de travail. Pourquoi n'y a-t-il pas trouvé la force de vivre ? Pourquoi mourut-il deux mois après avoir achevé sa *Recherche* ? Et pourquoi mourut-il de suffocation ? Réponse habituelle : « Parce qu'il était asthmatique et qu'il fut atteint d'une pneumonie. » Mais pourquoi avait-il de l'asthme ? Il eut ses premières crises à l'âge de neuf ans. Qu'est-ce qui l'a rendu malade ? N'avait-il pas une mère qui le chérissait ? A-t-il pu sentir son amour, ou plutôt luttait-il contre le doute ?

Le fait est qu'il ne peut décrire ce monde d'observations, de sentiments et de pensées qu'après le décès de sa mère. Il lui semblait parfois qu'il lui en demandait trop ; il ne parvint jamais à se montrer à elle comme il était réellement, avec ses pensées et ses sentiments. Cela ressort clairement des lettres qu'il lui adressait, dont je cite plus loin des extraits. Elle « l'aimait » à sa manière.

Elle lui témoignait beaucoup de sollicitude, mais voulait tout décider pour lui, dans les moindres détails, lui dicter ses fréquentations et, à l'âge de dix-huit ans encore, ce qui était permis ou interdit. Elle le voulait conforme à ses besoins : dépendant et obéissant. Il tentait de se défendre mais ensuite s'en excusait avec crainte et désespoir, tant il redoutait de perdre son affection. Il chercha sa vie durant à recevoir de sa mère un véritable amour, mais dut en fait se protéger de son contrôle permanent et de sa volonté de pouvoir en se repliant sur lui-même.

L'asthme de Proust fut l'expression de ce drame. Il inhalait trop d'air (d'« amour ») et n'avait pas le droit d'en rejeter l'excédent (le contrôle), de se rebeller contre la mainmise maternelle. Son œuvre prodigieuse put certes l'aider à s'exprimer enfin et, du même coup, offrir à ses lecteurs un fabuleux cadeau. Mais il fut, de longues années durant, torturé par des maux physiques, parce qu'il s'interdisait de prendre entièrement conscience des souffrances infligées par les exigences et le despotisme de sa mère. Jusqu'à sa mort, il se contraignit à ménager cette mère intériorisée et se persuada qu'il devait se protéger lui-même de la vérité. Son corps ne put accepter ce compromis, car lui connaissait la vérité, probablement depuis la naissance. Pour lui, les manipulations et la sollicitude n'ont jamais constitué l'expression d'un véritable amour, mais reflètent une peur : celle d'une bourgeoise conformiste devant l'extraordinaire créativité de son fils. Jeanne Proust veillait scrupuleusement à bien jouer son rôle d'épouse d'un médecin réputé et tenait avant tout à l'estime de la bonne société, dont le jugement revêtait à ses yeux une extrême importance. Elle voyait en l'originalité et l'esprit aiguisé de Marcel une menace qu'il fallait écarter à tout prix. Cela n'échappait pas à cet enfant éveillé et sensible. Mais il lui a fallu se taire, des décennies durant. C'est seulement après la mort de sa mère qu'il a réussi à publier ses observations et à peindre, comme nul ne l'avait fait avant lui, le tableau de la bourgeoisie de son temps. Mais, ce faisant, il épargne soigneusement sa mère, bien qu'elle fût précisément le modèle vivant de ce qu'il critiquait.

Au lendemain de la mort de sa mère, Proust, alors âgé de trente-quatre ans, écrit à Montesquiou :

« Ma vie a désormais perdu son seul but, sa seule douceur, son seul amour, sa seule consolation. J'ai perdu celle dont la vigilance incessante m'apportait en paix, en tendresse le seul miel de ma vie... J'ai été abreuvé de toutes les douleurs... Comme disait la Sœur qui la soignait, j'avais toujours quatre ans pour elle[1]. »

Cette description de son amour pour sa mère reflète la dépendance tragique de Proust envers elle, ce lien qui ne lui permet aucune délivrance et entrave toute opposition ouverte à la surveillance permanente qu'elle exerce. La détresse du jeune homme se faisait jour par les crises d'asthme : « J'inspire tant d'air et n'ai pas le droit de l'expirer. Tout ce qu'elle me donne *doit* être bon pour moi, même si j'en étouffe. »

Un coup d'œil rétrospectif sur l'histoire de son enfance met en lumière les origines de ce drame, explique pourquoi Proust resta si longtemps attaché à sa mère par toutes ses fibres sans pouvoir s'en dégager, bien qu'incontestablement il en souffrît.

Les parents de Proust se marièrent le 3 septembre 1870, et leur fils Marcel naquit le 10 juillet 1871, à Auteuil, lors d'une nuit très agitée, la population se trouvant encore sous le choc de l'invasion prussienne. On imagine aisément que sa mère ne pouvait se soustraire entièrement à la nervosité ambiante pour, intérieurement, se consacrer tout entière, avec amour, à son nouveau-né. Il est aussi fort compréhensible que le corps de l'enfant ait senti ces perturbations et se

1. Marcel Proust, *Lettres à Robert de Montesquiou 1893-1921*, Plon, 1952.

soit mis à se demander si sa présence était vraiment désirée. En pareille situation, le bébé aurait certainement eu besoin de plus d'apaisement qu'il n'en reçut. Ce manque peut, dans certains cas, induire des angoisses mortelles qui plus tard pèseront lourdement sur l'enfance. Et ce fut sans doute ce qui arriva à Marcel.

Durant toute son enfance, il fut incapable de s'endormir sans que sa mère soit venue l'embrasser, et plus les parents et l'entourage stigmatisaient ce qu'ils nommaient une « mauvaise habitude », plus ce besoin s'intensifiait. Comme tous les enfants, Marcel voulait absolument croire à l'amour de sa mère, mais, d'une certaine manière, il semblait ne pouvoir se dégager des souvenirs de son corps, qui lui rappelaient les sentiments mélangés de celle-ci au moment de sa naissance. Le baiser de « bonne nuit » était supposé effacer cette première perception corporelle, mais dès le soir suivant les doutes resurgissaient. D'autant qu'à la vue des nombreux visiteurs qui, presque tous les soirs, se pressaient dans le salon, l'enfant pouvait avoir le sentiment qu'aux yeux de sa mère ces dames et messieurs de la haute bourgeoisie comptaient davantage que lui. Il était si petit par rapport à eux ! Donc, couché dans son lit, il attendait un signe d'amour, d'amour tel qu'il le concevait. Mais ce qu'il recevait en retour, c'était un intarissable flot d'admonestations. Selon toutes les apparences, Mme Proust se préoccupait uniquement des bonnes manières de son fils, de son adaptation, de sa « normalité ».

Devenu adulte, Marcel se mit en devoir d'explorer ce monde qui lui avait volé l'amour maternel auquel il aspirait. Il le fit d'abord activement, en fréquentant assidûment les salons mondains où l'on remarquait son élégance de dandy. Puis, après la mort de sa mère, en imagination et en décrivant cet univers avec une passion, une précision et une sensibilité extraordinaires. C'était comme s'il accomplissait un grand voyage pour obtenir enfin la réponse à ses questions : « Maman, pourquoi tous ces gens sont-ils plus intéressants que moi ? Ne vois-tu donc pas leur vacuité, leur snobisme ? Pourquoi ma vie, mon besoin de toi, mon amour comptent-ils si peu pour toi ? Pourquoi suis-je un fardeau pour toi ? » C'est peut-être ce qu'aurait pensé le jeune garçon s'il avait pu vivre consciemment ses sentiments, mais il voulait être un enfant sage et ne pas poser de problèmes. Donc, il se rendit dans le monde de sa mère. Il en fut fasciné et il put, à l'instar de tout artiste, le recréer librement dans son œuvre, et aussi le critiquer sans entraves. Tout cela, il le faisait depuis son lit. C'est de sa couche, en effet, qu'il accomplissait ses voyages imaginaires, comme si ce lit de malade pouvait le protéger des conséquences de sa gigantesque entreprise de dévoilement, d'un châtiment redouté.

Un romancier a la faculté de faire exprimer à ses personnages ses véritables sentiments envers ses parents, alors qu'il ne les verbaliserait jamais dans la réalité. Dans son roman *Jean Santeuil*, une œuvre de jeunesse qui ne fut publiée qu'après sa mort et servit à Claude Mauriac, entre autres, pour éclairer, dans sa biographie, les années de jeunesse de Marcel Proust, ce dernier exprime sa détresse de façon encore beaucoup plus directe, en donnant à entendre qu'il a perçu le rejet de ses parents. Il cite les « grandes chances de malheur qu'il voyait dans la nature de ce fils, dans sa santé, dans son caractère triste, dans sa prodigalité, dans sa paresse, dans son impossibilité de se faire une situation, dans ce gaspillage de son intelligence » *(Jean Santeuil)*.

En revanche, après la mort de sa mère, il n'exprime qu'amour. Où donc est passée la vraie vie, avec ses doutes et ses sentiments forts ? Tout est transmué en littérature, et l'asthme sera le prix de cette fuite de la réalité. En mars 1903, Marcel écrit à sa mère : « Mais je ne prétends pas à la joie. J'y ai renoncé depuis longtemps. » Et en décembre de la même année : « Tout au moins je conjure la nuit par le plan d'une vie selon ta volonté... » puis, dans la même lettre : « Car je préfère avoir des crises et te plaire que te déplaire et n'en point avoir. »

Le conflit entre le corps et la morale est très remarquablement exprimé dans cet extrait de sa correspondance :

« La vérité est que, sitôt que je me sens bien, toi tu détruis tout, jusqu'à ce que de nouveau je me porte mal, parce que la vie qui me procure une amélioration te fâche... Mais il est affligeant que je ne puisse avoir en même temps ton affection et ma santé. »

L'anecdote devenue célèbre du flot de souvenirs déclenché par la madeleine trempée de thé fait allusion, en réalité, à l'un des rares moments de bonheur où, auprès de sa mère, il s'est senti à l'abri et en sécurité. Il avait onze ans, et un jour qu'il rentrait d'une promenade, frigorifié et trempé, sa mère le prit dans ses bras et lui servit une tasse de thé accompagnée d'une madeleine. Sans un mot de reproche. Cela suffit apparemment à calmer pour quelque temps les angoisses mortelles qui vraisemblablement sommeillaient en lui depuis sa naissance, liées à la sensation de n'avoir peut-être pas été désiré. Les nombreux rappels à l'ordre et reproches de ses parents réveillaient perpétuellement ces angoisses latentes. Perspicace comme il était, l'enfant pensait peut-être : « Maman, je suis pour toi un fardeau, tu me voudrais différent, tu me le montres si souvent et ne cesses de le répéter. » Cela, dans son enfance, Marcel ne pouvait l'exprimer en mots, et les causes de ses angoisses lui restaient cachées. Couché sur son lit, tout seul dans sa chambre, il attendait une preuve d'amour de sa mère et une explication : pourquoi le voulait-elle autrement qu'il n'était ? Ça lui faisait mal. Trop mal, manifestement, pour qu'il puisse même concevoir de ressentir cette douleur. Alors, ses recherches et ses questions furent baptisées littérature et exilées au royaume de l'art. Et Marcel Proust ne put déchiffrer l'énigme de sa vie. Selon moi, le « temps perdu » que recherche le narrateur, c'est cette vie des émotions fortes non vécues consciemment.

En fait, la mère de Proust n'était ni pire ni meilleure que la moyenne des mères de l'époque, et, à sa manière, elle était certainement soucieuse du bien-être de son fils. Seulement, je ne puis me joindre au chœur des biographes qui célèbrent ses qualités maternelles, car je récuse leur système de valeurs. L'un d'eux écrit par exemple qu'elle était un modèle d'abnégation, une vertu selon lui. Il est probablement exact que Marcel Proust a appris de sa mère à ne pas s'accorder de joie personnelle, mais à mes yeux pareille attitude envers la vie ne doit pas être louée.

Sa maladie fut causée par l'obligation de gratitude sans réserve et l'impossibilité de s'opposer au contrôle et interdictions maternels. C'est la morale qui exigeait de lui qu'il réprime sa révolte. Si Marcel Proust avait pu tenir un jour à sa mère les propos qu'il mit dans la bouche de son héros, Jean Santeuil, il n'aurait pas eu d'asthme, pas de crises d'étouffement, n'aurait pas été contraint de passer la moitié de sa vie au lit et ne serait sans doute pas mort aussi jeune. Dans la lettre à sa mère citée plus haut, il lui écrit explicitement qu'il préfère être malade que prendre le risque de lui déplaire. Aujourd'hui encore, bien des gens seraient susceptibles de faire ce genre de déclaration. Il importe cependant de réfléchir aux conséquences de semblable cécité émotionnelle.

7.
James Joyce ou la déconnexion des sentiments

James Joyce dut subir à Zürich quinze opérations des yeux. Que n'avait-il donc pas le droit de voir ni de ressentir ? Après la mort de son père, il écrivit dans une lettre à Harriet Shaw Weaver datée du 17 janvier 1932 :

« Mon père me portait une extraordinaire affection. Il était l'homme le plus sot que j'aie connu, et pourtant, plein de malice, il savait lancer des traits acérés. Jusqu'à son dernier souffle, il n'a cessé de penser à moi et de parler de moi. Étant moi-même un pêcheur, je l'ai toujours chéri et j'aimais jusqu'à ses défauts. Je lui dois des centaines de pages et des dizaines de personnages de mes livres. Son humour sec (ou plutôt, à vrai dire, imbibé) et l'expression de son visage m'ont souvent fait me tordre de rire. » (Joyce, 1975, p. 223.)

La lettre écrite le 29 août 1904, après la mort de sa mère, par James Joyce à son épouse fait contraste avec cette image idéalisée du père :

« Comment me réjouirais-je en pensant à la maison paternelle ? [...] Ma mère fut, je crois, tuée à petit feu par les mauvais traitements de mon père, les années de soucis et la cynique rudesse de mon comportement. Quand elle fut couchée dans son cercueil et que je vis son visage – tout gris et ravagé par le cancer – je compris que je regardais le visage d'une victime et je maudis le système qui en avait fait une victime [1]. Nous étions dix-sept dans la famille. Mes frères et sœurs ne signifiaient rien pour moi. Seul l'un de mes frères est capable de me comprendre » (*idem*, p. 56).

Quel fardeau de souffrances le fils aîné de cette mère de dix-sept enfants et d'un alcoolique violent dissimule-t-il derrière ces phrases, cette description purement factuelle ? Ces souffrances ne s'expriment pas dans les œuvres de Joyce, l'on n'y trouve, au lieu de cela, que les brillantes provocations qui lui servent à s'en défendre. L'enfant souvent battu admirait les pitreries de son père et l'adulte en fit de la littérature. Le grand succès de ses romans tient, à mon avis, au fait

1. C'est un point à noter : le système, et non pas le père idéalisé !

qu'une foule de gens apprécient tout particulièrement cette forme de défense contre les sentiments, dans les œuvres littéraires comme dans la vie. Dans mon livre *Libres de savoir*, j'ai dépeint ce phénomène à propos du roman autobiographique de Frank McCourt, *Les Cendres d'Angela*[1].

Conclusion

D'innombrables personnes ont connu des destins assez analogues à ceux que je viens de décrire. Simplement, les écrivains cités sont célèbres dans le monde entier, de sorte que l'on peut vérifier à travers leurs œuvres et leurs biographies la véracité de mes propos. Ces auteurs avaient en commun d'avoir fidèlement observé le Quatrième Commandement et, leur vie durant, honoré ces parents qui leur avaient infligé de graves souffrances. Ils ont sacrifié leurs propres besoins de vérité, de fidélité à soi-même, de communication sincère, de comprendre et d'être compris, sur l'autel de leurs parents. Tout cela dans l'espoir d'être aimés et non plus rejetés. La vérité exprimée dans leur œuvre est restée déconnectée de leur Moi. Ils demeuraient ainsi sous l'emprise du Quatrième Commandement, emprisonnés dans le déni.

Ce déni a conduit à de graves maladies et les a fait mourir jeunes, ce qui démontre, une fois encore, que Moïse s'est trompé en déclarant que l'on vivrait longtemps si on honorait ses parents.

1. Voir *Libres de savoir*, Flammarion, 2001, p. 183 et suiv.

À y regarder de près, le Quatrième Commandement contient clairement une menace.

Certes, bien des gens peuvent aussi avoir une longue vie en idéalisant jusqu'à la fin de leurs jours les parents qui les ont maltraités dans leur enfance. Nous ignorons toutefois comment ils se sont débrouillés avec leur contre-vérité. La plupart d'entre eux l'ont transmise, inconsciemment, à la génération suivante. Nous savons, en revanche, que les écrivains dont nous avons relaté l'histoire ont commencé à pressentir leur vérité. Mais, seuls comme ils l'étaient, au sein d'une société qui prenait constamment le parti des parents, où auraient-ils puisé le courage de renoncer à leur déni ?

Chacun de nous peut constater par lui-même la puissance de la pression sociale. Si quelqu'un, une fois parvenu à l'âge adulte, se rend compte de la cruauté de sa mère et en parle ouvertement, il s'entendra dire de toutes parts, y compris par des thérapeutes : « Mais pour elle aussi, c'était dur, elle a fait pour toi ceci et cela. Tu ne devrais pas la condamner, pas peindre les choses en noir et blanc, il ne faut pas les voir d'un seul côté. Il n'existe pas de parents idéaux, etc. » On a l'impression que les gens qui tiennent ce genre de discours défendent leur propre mère. Pourtant leur interlocuteur ne l'a nullement attaquée, il ne parlait que de sa mère à lui. Cette pression sociale est beaucoup plus forte qu'on ne l'imagine, et c'est pourquoi j'espère que ma peinture du sort de ces écrivains ne sera pas interprétée comme une condamnation, une critique de leur manque de courage, mais que le lecteur y verra le drame d'êtres qui ont ressenti la vérité mais, de par leur isolement, n'ont pu la mettre au jour. J'écris ce livre dans l'espoir de parvenir à rompre quelque peu cet isolement. Nous voyons en effet persister dans bien des thérapies la solitude de l'enfant que fut l'adulte d'aujourd'hui. Car trop souvent elles demeurent menées sous le diktat du Quatrième Commandement.

II

LE CORPS SAIT CE QUE LA MORALE IGNORE

Récits de thérapies

INTRODUCTION

> *« Ne pas avoir de souvenirs de son enfance, c'est comme si tu étais condamné à trimballer en permanence une caisse dont tu ne connais pas le contenu. Et plus tu vieillis, plus elle te paraît lourde, et plus tu deviens impatient d'ouvrir enfin ce truc. »*
>
> Jurek Becker [1]

Les destins des écrivains décrits dans la première partie datent déjà. Mais est-ce que quelque chose a changé depuis ? Presque rien, en réalité, hormis le fait que, de nos jours, un certain nombre de victimes de maltraitance dans leur enfance suivent des thérapies dans l'espoir de se délivrer des effets de ce qu'ils ont subi. Seulement, tout comme eux, beaucoup de thérapeutes redoutent de voir l'entière vérité sur l'enfance. Par suite, la délivrance recherchée ne survient

1. Jurek Becker fut interné, alors qu'il n'était encore qu'un très jeune enfant, dans les camps de Ravensbrück et Sachsenhausen, dont il ne garda aucun souvenir. Sa vie durant, il fut à la recherche du petit garçon qui survécut à l'horreur des camps grâce au dévouement de sa mère.

que dans de très rares cas. Tout au plus constate-t-on parfois une amélioration temporaire des symptômes lorsque le patient a eu la possibilité de vivre ses émotions, de les exprimer en présence d'autrui – ce qui, auparavant, lui demeurait interdit. Mais tant que le thérapeute se trouve lui-même au service d'une quelconque divinité (ou figure parentale, qu'on la nomme Jéhovah, Allah, Jésus, une secte ou un parti politique, Freud ou Jung, etc.), il ne peut assister son patient sur le chemin de l'autonomie. La morale du Quatrième Commandement les tient souvent l'un et l'autre sous son emprise, et le corps du patient paie le prix de ce sacrifice.

Quand j'affirme aujourd'hui qu'on n'a pas besoin de se sacrifier et que l'on pourrait se délivrer de la dictature du Quatrième Commandement sans avoir à s'en punir et sans nuire à autrui, on me reprochera peut-être de faire preuve d'un optimisme naïf. Car comment puis-je démontrer à une personne qui s'est imposé pendant des années les contraintes autrefois nécessaires à sa survie, et qui n'arrive même pas à imaginer ce que pourrait être sa vie sans leur joug, qu'il lui est possible de s'en libérer ? Quand je dis que, grâce au déchiffrement de mon histoire, j'ai réussi à gagner cette liberté, je ne constitue pas, je l'avoue, un bon exemple, car il m'a fallu quarante ans pour y arriver. Il y a néanmoins des exemples plus encourageants, et je connais d'autres personnes, encore jeunes, qui sont parvenues plus tôt à exhumer leurs souvenirs et à quitter l'enfermement où elles avaient cherché refuge. Si pour moi ce voyage a été si long, c'est que pendant des décennies il m'a fallu l'accomplir seule, et je n'ai que tardivement trouvé la forme d'accompagnement dont j'avais besoin. J'ai rencontré sur mon chemin des gens qui eux aussi tenaient absolument à connaître leur histoire. Ils voulaient comprendre de quoi ils devaient se protéger, ce qui leur avait fait peur et comment ces peurs et les graves blessures subies dans leur tendre enfance les avaient marqués pour la vie. Tout comme moi, ils ont dû se battre contre la dictature de la morale traditionnelle. Mais dans cette lutte, ils étaient rarement seuls. Il existait déjà des livres, des groupes qui pouvaient faciliter cette délivrance... Autant de moyens de vérifier l'exactitude de leurs perceptions afin de sortir du brouillard intérieur qui les aveuglait et de laisser émerger l'indignation et l'horreur.

Henrik Ibsen a parlé un jour des piliers de notre société, entendant par là les puissants personnages qui profitent de son hypocrisie. J'espère que les femmes et les hommes qui ont pris la mesure de leur histoire et se sont libérés des mensonges imposés par la morale compteront parmi les piliers de la société future. Si nous ne sommes pas conscients de ce qui nous est arrivé à l'aube de notre vie, une grande partie de ce que l'on appelle « vie culturelle » est à mes yeux une farce. Tel écrivain voudra faire de la bonne littérature, mais il ignorera la source inconsciente de sa créativité, et pourquoi il a une telle soif d'expression et de communication. Serait-ce qu'il craint de ne plus pouvoir écrire s'il la connaissait ? Je décèle une peur analogue chez certains peintres, y compris chez ceux qui, dans leurs tableaux, mettent très clairement en scène leurs peurs inconscientes, par exemple Francis Bacon, Jérôme Bosch, Salvador Dalí et nombre d'autres surréalistes. À travers leurs œuvres, ils cherchent certes la communication, mais à un niveau qui, puisque cela se nomme de l'art, préserve leur déni du vécu de leur enfance. Tout se passe comme si porter les yeux sur l'histoire de la vie d'un artiste était tabou, alors que, précisément, c'est cette histoire inconsciente qui pousse perpétuellement le créateur vers de nouvelles formes d'expression.

Presque toutes les institutions contribuent à cautionner cette fuite devant la vérité. Elles sont, somme toute, dirigées par des êtres humains, et le simple mot « enfance » effraie la plupart de nos semblables. Cette peur, on la rencontre partout, dans les cabinets des médecins, des psychothérapeutes et des avocats, dans les tribunaux, et tout autant dans les médias.

Une amie libraire me citait récemment une émission télévisée sur les enfants maltraités. Le présentateur avait choisi de parler des cas les plus horribles, et notamment de celui d'une « mère-Münchausen »[1], infirmière de son métier, qui se présentait, lors des examens médicaux de ses enfants, comme une mère pleine de tendresse et de sollicitude, mais qui à la maison leur faisait délibérément absorber des médicaments qui les rendaient malades. Les enfants ont fini par mourir, mais il a fallu un certain temps pour que l'on soupçonne la mère. Mon interlocutrice était extrêmement indignée de ce que les experts interrogés lors du débat n'aient soufflé mot de la raison pour laquelle il peut exister de telles mères.

1. Allusion au syndrome de Münchausen : à l'image du célèbre baron, ces personnes provoquent elles-mêmes des « maladies » chez leurs enfants pour obtenir des interventions médicales, voire chirurgicales. *(N. d. T.)*

Comme si un tel comportement était une fatalité, ou la volonté de Dieu.

« Pourquoi ne dit-on pas la vérité ? » me demanda cette femme. « Pourquoi les experts ne disent-ils pas que ces mères furent autrefois gravement maltraitées et que par leurs agissements elles reproduisent ce qui leur est arrivé ? » J'ai répondu : « Ils le diraient s'ils le savaient, mais manifestement ils l'ignorent. – Comment est-ce possible, répliqua la femme, alors que moi qui ne suis pas du métier, je le sais ? Il suffit de lire quelques livres. Depuis que je le fais, mes relations avec mes enfants ont beaucoup changé. Comment un spécialiste peut-il prétendre que les causes de tels cas de maltraitance nous restent incompréhensibles ? »

L'attitude de mon interlocutrice m'a convaincue que le sujet de la maltraitance est toujours actuel et que je devais persévérer dans mes travaux.

Une autre raison, récemment, m'a donné à réfléchir : peu après l'arrestation de Saddam Hussein se sont élevées, dans le monde entier et sous l'impulsion du Vatican, des voix pour prendre en pitié ce tyran sans scrupules et jusqu'alors redouté. Pouvons-nous cependant juger les tyrans à partir des sentiments ordinaires de compassion pour tout individu et, ce faisant, oublier leurs crimes ?

Selon ses biographes Judith Miller et Laurie Mylroie (1990), Saddam Hussein est né le 28 avril 1937 et a grandi dans une famille de paysans qui vivait, près de Tikrit, dans une grande pauvreté et ne possédait pas de terre. Son père biologique est décédé ou a quitté le foyer peu avant ou peu après la naissance de l'enfant. Son beau-père, un berger, ne cessait d'humilier le gamin, le traitait de fils de p… ou de chien, le battait et le martyrisait sans pitié. Pour exploiter au maximum la force de travail de l'enfant sans défense, il lui avait interdit jusqu'à sa dixième année d'aller à l'école et l'éveillait au milieu de la nuit pour l'envoyer garder le troupeau. Tout enfant se forge, en ces années décisives, ses images du monde et ses valeurs. Il naît en lui des désirs qu'il rêve de réaliser un jour. Pour Saddam, placé sous le joug de son beau-père, ces désirs ne signifiaient vraisemblablement qu'une chose : exercer un pouvoir illimité sur d'autres humains. Dans son cerveau se formait l'idée que le seul moyen de retrouver sa dignité volée serait d'exercer sur d'autres le même pouvoir que cet homme sur lui. Il ne connut dans son enfance aucun autre idéal, aucun autre modèle : face à ce beau-père tout-puissant, il était la victime soumise sans défense à ce régime de terreur. Son corps ne connaissait rien d'autre que la violence. C'est sur le même modèle que, plus tard, Saddam organisa la structure totalitaire de son pays [1].

1. Alors que j'achevais la lecture des épreuves de ce livre, j'ai eu connaissance d'un ouvrage paru récemment aux États-Unis (Post, Jerold M., *Leaders and their Followers in a Dangerous World*, Cornell University Press, 2004) qui présente l'enfance de Saddam Hussein sous un jour encore plus tragique. Son père et son frère aîné seraient morts d'un cancer, juste avant sa naissance. Sa mère, après avoir fait une tentative de suicide, aurait été sauvée par une famille juive, puis aurait tenté d'avorter. Il semble qu'elle ait ensuite refusé de voir son enfant, qui a été confié à un oncle pendant trois ans, jusqu'à son remariage. La suite, on l'a dit, ne fut que maltraitance physique et psychologique.

Tout dictateur nie les souffrances de son enfance et tente de les masquer derrière sa folie des grandeurs. Mais comme l'inconscient d'un être humain a enregistré l'intégralité de son histoire dans les cellules de son corps, il finit toujours par être poussé à se tourner vers sa vérité. Le fait que Saddam, riche à milliards, ait choisi de se cacher des Américains à proximité de son lieu de naissance, cet endroit, justement, où il ne reçut jadis aucun secours, reflète la situation sans issue de son enfance et illustre clairement sa compulsion de répétition.

Nous savons – l'Histoire nous l'a enseigné – que le caractère d'un tyran ne change pas au cours de sa vie, qu'il abuse de son pouvoir aussi longtemps qu'il ne rencontre aucune résistance. La raison d'agir ainsi n'est pas d'abord politique. Elle est sous-tendue par un besoin profond, caché derrière tous les agissements conscients de la personne : faire en sorte, grâce à cette puissance, que les humiliations subies dans l'enfance, obstinément niées, n'aient jamais eu lieu. Or, comme c'est impossible, puisqu'on ne peut annuler le passé, et pas davantage le surmonter tant qu'on nie les tourments endurés, l'entreprise du dictateur est vouée à l'échec, condamnée à la compulsion de répétition. Résultat : de nouvelles victimes en paient sans cesse le prix.

Hitler a fait savoir au monde entier, par son comportement, comment son beau-père l'avait traité enfant : avec une barbarie destructrice, sans pitié, en despote insensible, bouffi d'orgueil, vantard, pervers, narcissique, qui plus est stupide. En l'imitant inconsciemment, le fils lui restait fidèle. D'autres dictateurs (Staline, Mussolini, Ceausescu, Idi Amine Dada...) se sont conduits de façon très similaire. La biographie de Saddam est quasiment un cas d'école, l'exemple type de l'enfant qui, plus tard, pour assouvir sa vengeance, fera payer à d'innombrables êtres humains le prix de son humiliation. Rares, pourtant, sont ceux qui acceptent de tirer la leçon de ces faits, mais ce silence est parfaitement explicable.

Le tyran sans scrupules assoit en effet son autorité sur les peurs refoulées des anciens enfants battus qui n'ont jamais pu accuser leur père, ne le peuvent toujours pas, et, en dépit des tortures qu'il leur a infligées, lui restent fidèles. Tout tyran incarne ce père auquel l'on demeure attaché par toutes les fibres de son corps dans l'espoir de parvenir un jour, quitte à travestir la vérité, à le transformer en quelqu'un d'aimant.

Lorsque, il y a deux ans, j'ai adressé au Vatican une documentation sur les séquelles ultérieures des châtiments corporels infligés aux enfants, j'ai écrit à un certain nombre de cardinaux pour leur demander leur soutien, en les priant de bien vouloir éclairer les jeunes parents sur ce point. Je n'ai réussi à éveiller chez aucun d'eux le moindre intérêt ni la moindre compassion pour le problème, pourtant brûlant, des enfants battus. En revanche, après l'arrestation de Saddam Hussein, leurs voix se sont élevées pour appeler au respect de ses droits, et, à l'unisson, ils ont exprimé de la pitié pour le « pauvre » tyran. Serait-ce qu'il symbolisait ce père cruel dont, depuis toujours, l'enfant battu prend la défense ? Les enfants battus, torturés, humiliés, auxquels nul témoin secourable ne tend la main, présentent généralement, quand ils ont grandi, une forte tendance à tolérer la cruauté quand elle émane de figures paternelles et une frappante indifférence au sort des enfants maltraités. Ils ne veulent admettre à aucun prix qu'ils ont été eux-mêmes dans ce cas, et leur indifférence les préserve du risque d'ouvrir les yeux. C'est ainsi qu'ils se feront les avocats du Mal, tout en étant pleinement convaincus de leurs intentions humanitaires. Dès leurs premières années, il leur faut apprendre à réprimer et à ignorer leurs véritables sentiments, à ne pas se fier à ceux-ci, mais uniquement aux prescriptions des parents, des professeurs et des autorités religieuses. Adultes, ils sont absorbés par leurs vies et n'ont plus le temps de percevoir leurs propres sentiments. Sauf si ceux-ci correspondent exactement au système de valeurs patriarcal dans lequel ils vivent : ainsi, par exemple, la pitié pour le père, aussi destructeur et dangereux fût-il. Plus les crimes d'un tyran sont énormes, plus il peut, apparemment, compter sur une large tolérance, tant que, chez ses admirateurs, l'accès aux souffrances de leur propre enfance reste hermétiquement verrouillé.

1.
Rompre avec l'attachement de l'enfant

Les forums « Notre enfance[1] » regroupent des gens qui ont souffert de maltraitance. Quand ils viennent pour la première fois, la plupart d'entre eux disent qu'ils ne sont pas certains de se trouver à leur place, car, en écoutant les autres, ils découvrent des histoires horribles, tandis qu'eux, en fait, n'ont pas vraiment été des enfants maltraités. Ils ont certes été quelquefois battus, dépréciés ou rabaissés d'une manière ou d'une autre, mais ils n'ont jamais subi des choses aussi affreuses que celles rapportées par d'autres participants au forum. Par la suite, cependant, ces mêmes gens font état de comportements révoltants de la part de leurs parents, d'actes qui peuvent sans réserve être qualifiés de maltraitance – les autres participants n'ont aucun doute là-dessus. Eux, pourtant, ont eu besoin d'un certain temps pour ressentir les souffrances de leur enfance, et c'est grâce à l'empathie des autres qu'ils ont pu, progressivement, laisser émerger leurs sentiments.

Ce phénomène illustre l'attitude générale envers les mauvais traitements infligés aux enfants. On les considère tout au plus comme des fautes commises involontairement par des parents animés des meilleures intentions mais débordés par leurs tâches éducatives. Dans la foulée, on ajoute que si le père a eu, de temps à autre, la main leste,

1. Ces forums se font sur Internet et l'on peut trouver leur adresse sur mon propre site : www.alice-miller.com.

c'est à cause du chômage ou du surmenage. Et si une mère a cassé des cintres sur le corps de ses enfants, c'est en raison de ses problèmes conjugaux. Pareilles explications sont les fruits de notre morale, qui de tout temps a pris le parti des adultes contre les enfants. Constatant que cette position rendait impossible la perception de la souffrance de ces derniers, il m'est venu à l'idée de créer ces forums où les gens pourraient raconter leur histoire. Grâce à ces récits, on finira, je l'espère, par ouvrir les yeux, voir ce que peut endurer un petit enfant sans que la société vienne à son secours. On comprendra également comment se crée une haine qui aboutit à ce que des enfants innocents se muent en adultes capables, par exemple, d'organiser le monstrueux holocauste, de l'approuver, de l'exécuter, de le justifier et de l'oublier.

Aujourd'hui encore, nos sociétés ne se soucient pas de savoir quelles sont les empreintes précoces, les mauvais traitements et les humiliations qui ont contribué à transformer des enfants parfaitement normaux en monstres. Ces monstres, mais aussi les gens qui ont dirigé sur eux-mêmes leur rage et leur fureur et en sont tombés malades, préservent du moindre reproche les parents qui ont fait de leur enfance un enfer. Ils ne savent pas ce qu'ont provoqué en eux ces sévices, ni combien ils en ont souffert, et à vrai dire ne veulent pas le savoir. Les coups reçus, les hurlements, les vexations, croient-ils, ne leur ont été infligés que pour leur bien.

Dans l'abondante littérature sur l'accompagnement thérapeutique, il est rare de voir un auteur se ranger sans équivoque au côté de l'enfant. L'on conseille au lecteur d'abandonner le rôle de victime et de n'accuser personne de lui avoir gâché la vie, on lui prône la fidélité à soi-même afin de se libérer du passé tout en conservant de bonnes relations avec ses parents. Je retrouve dans ces conseils les contradictions de la pédagogie noire et de la morale traditionnelle.

J'y vois aussi le danger de maintenir, chez l'ancien enfant maltraité, son désarroi et la surcharge d'exigences morales, de sorte qu'il risque de ne jamais pouvoir devenir adulte.

Car devenir adulte revient à cesser de nier la vérité, ressentir la souffrance refoulée, et aussi prendre connaissance, dans sa tête, de l'histoire que le corps sait émotionnellement, l'intégrer et ne plus être contraint de la refouler. Ce qu'il advient alors des relations avec les parents – le contact peut-il ou non être maintenu ? – dépend des circonstances, de la situation donnée. Mais dans tous les cas l'indispensable est la fin de l'attachement pathogène aux parents – à présent *intériorisés* – des années d'enfance. Se défaire de ce lien baptisé « amour », mais qui n'en est qu'un simulacre, composé d'un mélange de gratitude, de pitié, d'attentes, de déni, d'illusions, d'obéissance, de peur et de crainte du châtiment.

Pourquoi certaines personnes peuvent-elles dire que leur traitement a réussi, tandis que chez d'autres des dizaines d'années de psychanalyse ou de diverses thérapies n'ont pu venir à bout de leurs symptômes ? Je me suis longuement penchée sur cette question, et j'ai constaté que, chaque fois que l'issue a été positive, c'est parce que le patient avait pu se libérer de son attachement destructeur d'enfant maltraité grâce à un accompagnement lui permettant de dévoiler son histoire et de formuler son indignation envers le comportement de ses parents. En sa qualité d'adulte, il était devenu capable de gérer sa vie plus librement et n'avait pas besoin de haïr ses parents. Il n'en allait pas de même pour les personnes à qui le thérapeute avait prêché le pardon, les persuadant qu'il leur apporterait la guérison. Elles restaient dans la situation du petit enfant qui croit aimer ses parents mais, au fond, se laisse, sa vie durant, contrôler et détruire (à travers diverses maladies) par les parents intériorisés. Ce type de dépendance *nourrit la haine,* qui, pour être refoulée, n'en demeure pas moins active et pousse à des agressions contre des innocents. Nous ne haïssons que tant que nous nous sentons impuissants.

J'ai reçu des centaines de lettres confirmant ces allégations. Ainsi, par exemple, Paula, une femme de vingt-six ans souffrant d'allergies, rapporte que, dans son enfance, son oncle se livrait à des attouchements à chacune de ses visites et ne se gênait pas pour lui peloter les seins devant d'autres membres de la famille. D'un autre côté, il était la seule personne qui lui accordait de l'attention : par exemple, il lui demandait toujours de ses nouvelles. Nul ne la prenait sous sa protection, et lorsqu'elle se plaignait à ses parents de la conduite de l'oncle, ils lui répondaient que c'était à elle de ne pas se laisser faire. Au lieu de venir au secours de leur enfant, ils se déchargeaient de leur rôle et lui faisaient porter la responsabilité de ce qui lui arrivait. Or l'oncle fut atteint d'un cancer et Paula, qui était très en colère contre lui, refusa d'aller le voir. Sa thérapeute lui affirma qu'elle se le reprocherait plus tard et qu'il était inutile, dans de telles circonstances, de mécontenter toute la famille, que cela ne lui apporterait rien. Paula réprima donc sa révolte, ses vrais sentiments, et rendit visite à son oncle. Peu après la mort de celui-ci, son attitude changea radicalement : elle étouffa le souvenir de ces dégoûtants attouchements et en arriva même à aimer le disparu. La thérapeute se montra très contente de sa patiente – et non moins satisfaite d'elle-même – puisque, apparemment, l'amour l'avait guérie de sa haine et de ses allergies. Seulement, Paula commença subitement à souffrir de graves crises d'asthme. Elle ne comprenait rien à ces difficultés respiratoires, car elle se sentait la conscience pure : n'avait-elle pas pardonné à son oncle, effacé toute rancune ? Pourquoi, alors, cette dure punition ? Elle voyait en sa maladie le châtiment de ses anciens sentiments de colère et d'indignation. Or, après avoir lu un de mes livres, elle se résolut à m'écrire. Ses crises d'asthme disparurent dès qu'elle put s'autoriser à ne plus « aimer » son oncle.

Une autre de mes lectrices me fit part de son étonnement d'être atteinte, après quelques années de psychanalyse, de douleurs dans les jambes auxquelles les médecins ne trouvaient aucune cause organique. Elles avaient donc peut-être, se disait-elle, une origine psychique. Dans son analyse, elle travaillait depuis des années sur ses fantasmes d'abus sexuels de la part de son père. Elle voulait de tout cœur croire son analyste, se persuader que ses « souvenirs » étaient le produit de son imagination. Mais toutes ces spéculations ne l'aidaient nullement à comprendre pourquoi elle avait si mal aux jambes. Lorsque, en fin de compte, elle interrompit l'analyse, les douleurs, à sa grande surprise, disparurent comme par enchantement. Elles avaient fait office de signal, l'avertissant qu'elle se trouvait là dans un monde qu'elle ne pouvait quitter, incapable de faire un pas en ce sens. Elle voulait fuir l'analyste et ses interprétations fallacieuses, mais ne l'osait pas. Les douleurs dans les jambes avaient bloqué son besoin d'évasion, jusqu'à ce qu'elle se décide enfin à interrompre son analyse et à n'en plus attendre aucun secours.

L'attachement aux figures parentales que je tente de décrire ici est celui à des parents maltraitants. Nous transférons sur des thérapeutes, notre partenaire et nos enfants les besoins, absolument naturels, restés insatisfaits dans nos jeunes années. Nous ne pouvons pas croire que nos parents les ont effectivement ignorés, voire foulés aux pieds, de sorte que nous avons dû les réprimer. Nous espérons que d'autres personnes, avec qui nous établissons de nouvelles relations, vont enfin répondre à notre demande, nous comprendre, nous soutenir, nous respecter et nous décharger des décisions difficiles que la vie nous impose. Comme ces attentes se nourrissent du déni de la réalité de notre enfance, nous ne pouvons y renoncer. Pas, du moins, comme je l'ai expliqué plus haut, par un acte de volonté. Mais elles disparaissent peu à peu si nous sommes résolus à nous confronter à notre vérité.

La tâche n'est pas facile, et même généralement douloureuse. Mais c'est faisable.

Dans les forums, on voit souvent des participants se fâcher lorsqu'un membre du groupe s'indigne des agissements de leurs parents, bien que ces gens lui soient totalement inconnus – il réagit simplement aux actes qu'a relatés l'intéressé. Mais se plaindre de ses parents est une chose, prendre les faits relatés totalement au sérieux en est une autre. Cette dernière démarche éveille la peur du petit enfant d'être puni : par suite, beaucoup de gens préfèrent laisser leurs premières perceptions dans le secret du refoulement, se cacher la vérité, embellir les actes en question et s'arranger de l'idée du pardon. De sorte qu'ils continuent à rester prisonniers du système des attentes infantiles.

J'ai commencé ma première analyse en 1958, et rétrospectivement j'ai l'impression que mon analyste, que j'ai adorée à l'époque, était profondément pénétrée des injonctions morales. En ces temps-là, je ne pouvais pas m'en rendre compte, car j'avais moi aussi grandi dans ces mêmes valeurs. Il m'était donc impossible de déceler que j'avais été une enfant maltraitée. Pour le découvrir, j'avais besoin d'un témoin qui avait effectué ce chemin et s'était affranchi du déni de la maltraitance des enfants, déni dont notre société était coutumière. Aujourd'hui encore, près d'un demi-siècle plus tard, s'en dégager ne va pas de soi. Les propos des thérapeutes qui affirment se ranger du côté de l'enfant débouchent, dans la plupart des cas, sur une intention éducative dont ils restent évidemment inconscients, car ils ne l'ont jamais remise en question. Bien que certains citent mes livres et encouragent leurs clients à se trouver eux-mêmes et ne pas se plier aux exigences d'autrui, j'ai la sensation qu'ils donnent des conseils impossibles à suivre. Car ce que moi je décris comme résultant d'une histoire est ici dépeint comme une imperfection qu'on devrait corriger soi-même : « On devrait apprendre à se respecter, on devrait être capable d'apprécier ses qualités, on devrait ceci et cela. » On donne aux gens quantité d'informations pour les aider à retrouver l'estime de soi, mais cela ne leur permet pas pour autant de lever leurs blocages. Je pense toutefois qu'un individu incapable de s'estimer, de se respecter, de s'autoriser à déployer sa créativité ne se conduit pas ainsi volontairement. Ses blocages sont le fruit d'une histoire qu'il doit apprendre à connaître aussi exactement que possible émotionnellement, afin de comprendre par quelles voies il est devenu ce qu'il est. Lorsqu'il l'aura compris, il n'aura plus besoin de conseils. Alors il s'accordera ce qu'il a toujours souhaité, mais a dû se refuser : avoir confiance en soi, se respecter et s'aimer. Il lui faut abandonner l'idée que ses parents finiront par lui donner un jour ce dont ils l'ont privé dans son enfance.

C'est la raison pour laquelle, jusqu'à présent, bien peu de gens franchissent ce chemin. Ils sont nombreux à se contenter des conseils de leurs thérapeutes ou à laisser leurs conceptions morales et religieuses leur masquer la vérité. Comme je l'ai dit plus haut, cette paralysie provient essentiellement de la peur. Or celle-ci diminuera, me semble-t-il, lorsque la maltraitance des enfants ne sera plus, dans notre société, un sujet tabou. Ce sont leurs peurs infantiles qui, jusqu'à présent, ont conduit les victimes de mauvais traitements à nier la réalité, contribuant par là à une occultation générale de la vérité. Mais lorsque ces victimes commenceront à parler, à raconter leur passé, les thérapeutes eux aussi seront obligés de percevoir la réalité des faits. J'ai appris il y a peu qu'un psychanalyste allemand affirme publiquement que parmi ses patients se trouvent très peu d'anciens enfants maltraités. Cela me paraît fort étonnant, car, parmi les gens cherchant à se faire traiter pour leurs symptômes psychiques, je ne connais personne qui n'ait pas été au moins battu dans son enfance. Je nomme cela maltraitance, même si ce type d'humiliation se pratique depuis des millénaires, et aujourd'hui encore, sous le vocable de « mesure éducative ». Ce n'est peut-être qu'une question de définition, mais en l'occurrence cet écart m'apparaît crucial.

Nous avons tous été horrifiés à la vue des sévices infligés, dans une prison de Bagdad, par des militaires américains à des détenus irakiens. Horrifiés – et stupéfaits : comment des soldats de l'armée des États-Unis, enfants de la démocratie américaine, ont-ils pu faire preuve de pareil sadisme, se livrer à ces actes de perversion ?

Certains psychologues, interrogés par les médias, ont invoqué le stress de la guerre. Il peut certes – comme la guerre de façon générale – exacerber une agressivité latente. Mais ces soldats, justement, ont été formés pour résister au stress. Et même soumis aux situations de stress les plus extrêmes, tous les hommes, heureusement, ne se transforment pas en pervers.

L'origine de comportements aussi inhumains est beaucoup plus ancienne, plus profonde. La perversion a ses racines dans l'enfance. De quelles souffrances niées, de quelles rages réprimées ces hommes, cette jeune femme que nous avons vus sur nos écrans de télévision, se vengeaient-ils en infligeant des traitements dégradants, d'affreuses tortures, à des prisonniers sans défense ? L'école de la cruauté commence très tôt : un enfant qui, tout petit, a été dressé à l'obéissance par de barbares « corrections » physiques, qui a subi des pratiques perverses (parfois aussi le sadisme de certains enseignants, et l'on sait que les châtiments corporels sont encore autorisés dans maintes écoles américaines), a appris comment détruire les autres. Et si, une fois adulte, il reste dans le déni des souffrances endurées, il va rechercher des boucs émissaires sur lesquels, inconsciemment, assouvir sa vengeance. Il est faux de dire que, comme le prétendent certains « experts », nous abritons tous en nous la « bête ». Elle n'est pas inhérente à notre condition humaine. Elle apparaît et se développe *après* la naissance.

2. Adultes, nous ne sommes pas obligés d'aimer nos parents

Passant, il y a quelque temps, devant un manège forain, je me suis arrêtée pour savourer le plaisir des jeunes enfants à bord de petites autos. Les visages de ces bambins, d'environ deux ans, reflétaient en effet principalement la joie. Mais pas uniquement. Sur les traits de nombre d'entre eux se lisait aussi clairement la frayeur de tenir le volant et de tourner à cette cadence sans accompagnement. Un peu de peur, donc, mais aussi la fierté d'être un grand, et de piloter. Et puis de la curiosité : que va-t-il se passer maintenant ? Mais également de l'inquiétude : où sont donc mes parents ? On voyait à l'œil nu tous ces sentiments alterner sur leurs frimousses dans la griserie de ce tournoiement inattendu. Après m'être éloignée, je me suis tout à coup demandé ce qui peut bien se passer chez un bébé quand un adulte se sert de son corps pour assouvir ses besoins sexuels. Pourquoi cette idée m'est-elle venue à l'esprit ? Peut-être parce que j'avais discerné, sous la joie manifestée par les enfants, une sorte de tension, une méfiance. Je pensais : leur corps ressent peut-être cette rapide rotation comme quelque chose d'étranger, d'insolite, voire d'angoissant. Quand ils sont descendus du manège, certains avaient l'air désemparés, pas rassurés, et ils se cramponnaient étroitement à leurs parents. Peut-être, ai-je pensé, cette sorte de sensation de plaisir n'est-elle pas adaptée au psychisme du jeune enfant ? Cette pensée me ramena à mon sujet : que ressent une petite fille abusée sexuellement lorsque, par exemple, sa mère ne la touche pour ainsi dire jamais, parce qu'elle la rejette, qu'elle se soustrait, par suite de sa propre enfance, à tout sentiment de tendresse ? Cette fillette est alors si affamée de caresses qu'elle va accueillir avec gratitude presque n'importe quel contact corporel, comme s'il exauçait un souhait ardent. Mais lorsque son père, au fond, exploite purement et simplement son être véritable, son aspiration à une authentique communication et à des gestes affectueux, utilise son petit corps à seule fin de prendre du plaisir ou d'affirmer son propre pouvoir d'adulte, l'enfant le sent confusément.

Il se peut que cette enfant réprime et enfouisse profondément sa déception, son chagrin et sa colère de se voir ainsi trahie, et qu'elle continue à s'agripper à son père parce qu'elle ne peut renoncer à l'espoir qu'il tiendra un jour la promesse des premières caresses, lui rendra sa dignité et lui montrera ce qu'est l'amour. Car le fait est que, dans son entourage, nul, à part ce père, ne lui a donné l'impression de pouvoir être aimée. Mais cet espoir est destructeur.

Les conséquences de tels actes peuvent être multiples. Parfois, en effet, la fillette, devenue adulte, sera atteinte d'une compulsion à l'automutilation et ne pourra éprouver quelque plaisir qu'en se faisant souffrir. C'est d'ailleurs sa seule façon de ressentir quelque chose car, quand son père a abusé d'elle, il lui a fallu tuer, pour ainsi dire, ses propres sentiments, de sorte qu'ils lui font ensuite défaut. Parfois aussi, cette femme pourra être atteinte d'une vraie maladie, comme cet eczéma des parties génitales dont parle Kristina Meyer dans son livre *Le Double Secret*. Quand elle s'est présentée chez une psychanalyste, cette femme souffrait de toute une série de symptômes indiquant clairement que, dans sa petite enfance, elle avait été abusée sexuellement. La thérapeute n'a pas pensé tout de suite à de tels faits, mais a néanmoins accompagné Kristina de son mieux et en toute honnêteté, lui permettant ainsi de faire émerger l'histoire totalement refoulée de ces viols d'une grande cruauté. Le processus a duré six ans, d'abord dans le cadre strict d'une cure analytique, puis dans celui d'une thérapie de groupe, suivie de diverses thérapies corporelles.

Kristina aurait sans doute gagné du temps si son analyste avait pu s'autoriser à voir dans cet eczéma des parties génitales le signe sans équivoque de l'exploitation du corps d'un petit enfant. Lorsque Kristina l'interrogea sur son attitude, elle lui expliqua qu'elle n'aurait pas pu supporter la confrontation avec ce savoir avant d'être parvenue à établir une bonne relation analytique.

Peut-être aurais-je, jadis, partagé cette opinion. Mais, à la lumière d'expériences plus récentes, j'ai tendance à penser qu'il n'est jamais trop tôt pour dire à un ancien enfant maltraité ce que l'on discerne clairement et pour lui offrir son alliance. Kristina a lutté avec un courage inouï pour sa vérité, et elle méritait d'être dès le départ accompagnée dans ses ténèbres. Elle rêvait que son analyste, ne serait-ce qu'une fois, la prenne dans ses bras avec des paroles de réconfort. Celle-ci restait fidèle à sa doctrine et n'a jamais exaucé un vœu pourtant inoffensif et qui aurait fait sentir à la jeune femme qu'il existe des étreintes affectueuses qui respectent les frontières de l'autre et lui signifient qu'il n'est pas seul au monde.

J'en reviens à l'entrée en matière de ce chapitre et à nos jeunes enfants qui tournent sur le manège et dont, à mes yeux, le visage exprime, à côté de la joie, une peur, un malaise. Ma comparaison avec la situation de l'inceste n'a certes pas de valeur générale. Il s'agit plutôt d'une idée qui m'a traversé l'esprit. Il convient, du reste, de ne pas minimiser le fait que, enfants et adultes, nous sommes souvent en proie à des émotions contradictoires. Lorsque, dans notre jeune âge, nous avons affaire à des adultes qui n'essaient jamais d'être au clair avec leurs propres sentiments, nous sommes confrontés à un chaos extrêmement insécurisant. Pour échapper à ce désarroi et à ce sentiment d'insécurité, nous recourons aux mécanismes de la déconnexion et du refoulement. Nous ne ressentons aucune peur, nous aimons nos parents, avons confiance en eux et essayons en toute occasion de nous conformer à leurs désirs afin qu'ils soient contents de nous. C'est plus tard seulement, à l'âge adulte, que cette peur se manifeste, généralement dans notre couple, et nous ne comprenons pas ce qui se passe. Comme dans notre enfance, nous voulons, ici aussi, afin d'être aimé, accepter les contradictions de l'autre sans souffler mot. Le corps, toutefois, exige la vérité, et quand nous persistons dans notre refus de percevoir la peur, la colère, l'indignation et le dégoût de l'enfant abusé sexuellement, il le signale en produisant des symptômes.

Mais avec la meilleure volonté du monde, nous ne réussirons pas à mettre au jour les situations passées si nous négligeons le présent. Nous dégager de notre dépendance actuelle est une condition nécessaire pour pouvoir réparer les dégâts, c'est-à-dire voir clairement et liquider les conséquences de la dépendance initiale.

En voici un exemple : André, un homme d'âge moyen, souffre depuis quelques années d'obésité et soupçonne que ce pénible symptôme est lié à sa relation avec son père, autoritaire et incestueux. Mais il n'arrive pas à en venir à bout. Il essaie par tous les moyens de perdre du poids, suit de sévères prescriptions médicales, parvient aussi à ressentir sa rage contre le père de son enfance, mais tout cela reste vain. De temps à autre, il est pris de crises de fureur et, incapable de se contrôler, injurie ses enfants, crie contre sa compagne. Pour se calmer, il a recours à la boisson mais ne se considère pas comme un alcoolique. Il voudrait être gentil avec sa famille, et le vin l'aide à dompter ses explosions de colère et lui procure aussi des sensations agréables.

Au cours de notre entretien, André raconte en passant que ses parents ont la fâcheuse habitude de lui faire des visites-surprises, sans le prévenir. Je lui demande s'il leur a exprimé son désir de les voir respecter son intimité, et il me répond, d'un ton vif, qu'il le leur dit chaque fois, mais qu'ils n'en tiennent pas compte. Les parents estiment qu'ils ont le droit de venir jeter un coup d'œil chez lui, car, somme toute, ils sont chez eux. André ajoute qu'il est locataire, l'immeuble appartenant effectivement à ses parents. Je lui demande si, dans toute la ville, il n'existe pas un endroit où, pour un loyer identique ou légèrement plus élevé, il cesserait de dépendre de ses parents, évitant ainsi qu'ils ne débarquent à l'improviste. Il écarquille les yeux et déclare qu'il ne s'est encore jamais posé cette question.

Cela peut paraître surprenant, mais ne l'est pas quand on sait que cet homme demeure prisonnier d'une situation infantile, dans laquelle il devait se soumettre à l'autorité, à la volonté et au pouvoir des parents auxquels il était redevable, et qu'il se trouvait par là même hors d'état de voir une issue, tant il avait peur qu'ils ne le rejettent. Cette peur le hante encore à l'âge adulte et se manifeste par une tendance à manger plus que de raison, en dépit de tous ses efforts pour suivre un régime. Car son besoin d'absorber la « nourriture » adéquate, c'est-à-dire de ne plus dépendre de ses parents, de pourvoir lui-même à son bien-être, est si vital qu'il ne peut être satisfait que d'une manière appropriée, et non par des excès alimentaires. Manger ne suffira jamais à assouvir la soif d'autonomie, à remplacer la véritable liberté.

Sur le pas de la porte, André me dit d'une voix ferme qu'il est décidé à déménager. Quelques jours plus tard, il m'annonce qu'il a déniché un pavillon qui lui plaît et qu'en outre le loyer est plus bas. Pourquoi lui a-t-il fallu si longtemps pour s'aviser de cette solution simple ? Parce qu'en habitant sous un toit appartenant à ses parents André espérait recevoir enfin de son père et de sa mère ce à quoi, quand il était petit, il avait tant aspiré. Or ce qu'ils lui avaient refusé dans son enfance, ils ne pouvaient pas davantage le lui donner à l'âge adulte. Ils continuaient à le traiter comme leur propriété, ne l'écoutaient pas quand il exprimait ses désirs, jugeaient tout naturel qu'il fasse des travaux et investisse de l'argent dans cette maison sans rien recevoir en retour, puisque, étant ses parents, ils estimaient en avoir le droit. André le croyait également. Il lui avait fallu attendre de pouvoir parler avec un témoin lucide – dont j'avais assumé le rôle – pour ouvrir les yeux. Alors seulement, il avait réalisé qu'il se laissait exploiter comme dans son enfance, et, par-dessus le marché, qu'il croyait devoir en être reconnaissant. À présent, il était capable de renoncer à l'illusion qu'un jour ses parents changeraient. Quelques mois plus tard, il m'écrivit :

« Lorsque je leur ai donné mon congé, mes parents ont essayé de me culpabiliser. Ils ne voulaient pas me laisser partir. Quand ils se sont aperçus qu'ils ne pouvaient plus m'obliger à rien, ils m'ont proposé de diminuer le loyer et de me reverser une partie des sommes que j'avais investies. Je me suis rendu compte que l'arrangement était à leur profit, pas au mien, et j'ai tout refusé, en bloc. Ça ne s'est pas passé sans douleur. Il m'a fallu affronter la vérité toute nue, et ça fait mal. Je ressentais la souffrance du petit enfant que j'avais été, jamais aimé, jamais écouté, jamais pris en considération, qui se laissait exploiter, acceptait tout et ne faisait qu'attendre et espérer qu'un jour il en serait autrement. Puis survint le miracle : j'ai commencé à perdre du poids, et plus je ressentais ce qui m'était arrivé, plus je maigrissais. Je n'avais plus besoin d'alcool pour noyer mes sentiments, mon esprit était clair, et quand, de temps à autre, ma colère resurgissait, je savais contre qui j'en avais : ni mes enfants, ni ma femme. C'est à mon père et à ma mère que j'en voulais. J'ai alors pu leur retirer mon amour, car j'ai compris que cet amour n'était rien d'autre que mon aspiration à être aimé, un vœu qui n'a jamais été exaucé. Il m'a fallu renoncer à ce rêve. Et subitement je n'ai plus eu besoin de manger autant, je me suis senti moins fatigué, j'ai retrouvé mon énergie, jusque dans mon travail. Avec le temps, ma colère contre mes parents a diminué, car maintenant je réponds moi-même à mes besoins et n'attends plus qu'ils le fassent. Je ne me force plus à les aimer (à quoi bon ?), je n'ai plus peur, en dépit des prédictions de ma sœur, de me ronger de sentiments de culpabilité après leur mort. Je suppose que leur décès m'apportera un soulagement, car il mettra fin à l'hypocrisie. En fait, j'essaie dès à présent de me soustraire à cette obligation.

Mes parents m'ont fait savoir, par l'entremise de ma sœur, qu'ils sont attristés par le ton de mes lettres, purement informatives alors qu'autrefois elles étaient chaleureuses. Ils souhaiteraient que je sois comme avant. Mais c'est impossible, et du reste je ne le veux pas.

Je ne veux plus entrer dans leur jeu, plus jouer le rôle qu'ils m'ont assigné. J'ai fini, après de longues recherches, par trouver un thérapeute qui me fait bonne impression et auquel je voudrais parler comme je vous ai parlé, à cœur ouvert, sans ménager mes parents, sans enjoliver la vérité – y compris la mienne propre – et, surtout, je suis heureux d'avoir réussi à prendre la décision de quitter la maison qui m'a si longtemps enchaîné à des espoirs à tout jamais irréalisables. »

Un jour, en introduction à une conférence sur le thème « Tu honoreras ton père et ta mère », j'ai posé cette question : « En quoi consiste, réellement, cet amour que l'on porte aux parents autrefois maltraitants ? » Les réponses ont fusé et divers sentiments ont été exprimés : la pitié envers des personnes âgées et souvent malades, la reconnaissance pour nous avoir donné la vie, et aussi pour les jours où nous n'étions pas battus, la crainte d'être quelqu'un de méchant, la conviction que nous devons pardonner aux parents ce qu'ils nous ont fait, car sinon nous ne pourrions pas devenir adultes. Une vive discussion a alors commencé, où les uns remettaient en question les opinions des autres. Ruth, une des participantes, me dit, la voix vibrante d'une détermination inattendue :

« Je peux affirmer, car ma vie le prouve, que le Quatrième Commandement nous induit en erreur. Depuis que j'ai cessé de me plier aux exigences de mes parents, à leurs attentes exprimées ou inexprimées, ma santé s'est améliorée, je ne me suis jamais sentie aussi bien. Mes symptômes physiques ont disparu, je ne me fâche plus contre mes enfants et je pense aujourd'hui que tous mes problèmes provenaient de ce que je m'efforçais d'obéir à un précepte qui n'était pas bon pour mon corps. »

Je lui demandai pourquoi, à son avis, ce précepte exerçait un tel pouvoir sur nous. Ruth répondit que c'est parce qu'il nourrit la peur et les sentiments de culpabilité que nos parents nous ont inculqués de très bonne heure. Elle-même avait souffert de terribles angoisses peu avant de se rendre compte qu'elle n'aimait pas ses parents mais voulait à tout prix les aimer et jouait la comédie, envers eux comme à son propre égard. À partir du moment où elle avait accepté sa vérité, ces peurs s'étaient dissipées.

Je pense qu'il en serait de même pour beaucoup de gens si on pouvait leur dire : « Tu n'es pas obligé d'aimer tes parents, ni de les honorer, car ils t'ont fait du mal. Tu n'as pas besoin de t'imposer tel ou tel sentiment, car la contrainte n'a jamais rien donné de bien. Dans ton cas, ça peut avoir un effet destructeur, et ton corps en paiera le prix. »

Cette séance a confirmé mon sentiment que, parfois, nous obéissons, notre vie durant, à un fantôme qui, au nom de l'éducation, de la morale ou de la religion, nous force à ignorer nos besoins les plus naturels, à les refouler, les combattre, ce que finalement nous payons par des maladies dont nous ne pouvons ni ne voulons comprendre le sens, et dont nous essayons de venir à bout en nous gorgeant de médicaments. Il arrive qu'au cours de certaines thérapies nous réussissions, en éveillant des émotions refoulées, à ouvrir l'accès à notre Moi véritable. Mais alors bien des thérapeutes parleront, à l'instar de ce qui se pratique dans les groupes des Alcooliques Anonymes, de la Puissance Supérieure – selon la formulation en vigueur chez les A.A. –, sapant ainsi notre confiance innée en notre aptitude à sentir ce qui nous fait du bien ou non.

Cette confiance, mon père et ma mère l'ont démolie dès ma naissance. On m'a appris à voir et à juger tout ce que je ressentais par les yeux de ma mère, et à tuer, pour ainsi dire, mes propres sentiments et besoins. Peu à peu, j'ai perdu en grande partie ma capacité à sentir mes besoins et chercher à les satisfaire.

Par exemple, il m'a fallu quarante-huit ans pour découvrir mon besoin de peindre et m'autoriser à le faire. J'y suis finalement parvenue. Mais il m'a fallu plus longtemps encore pour m'accorder le droit de ne pas aimer mes parents. Au fil du temps, j'ai saisi de plus en plus clairement à quel point mes efforts pour aimer quelqu'un qui avait gâché ma vie étaient toxiques. Car ils m'éloignaient de ma vérité, m'astreignaient à me tromper moi-même, à jouer le rôle qu'on m'avait imposé dès mon plus jeune âge, le rôle de la petite fille sage qui se soumet à des besoins émotionnels travestis en éducation et en morale. Plus je devenais fidèle à moi-même, m'autorisais l'accès à mes sentiments, plus mon corps parlait un langage clair, me conduisant à des décisions qui favorisaient l'expression de ses besoins. Je réussis à cesser d'entrer dans le jeu des autres, à ne plus m'illusionner sur les bons côtés de mes parents, ce qui était source de confusion. Je pus me décider à être adulte, et le trouble de mes sentiments disparut.

Je ne dois aucune reconnaissance à mes parents pour m'avoir donné la vie, car je n'étais pas désirée. Leur union avait été le choix de leurs propres parents. Je fus conçue sans amour par deux enfants sages qui devaient obéissance à leurs parents et souhaitaient engendrer un garçon, afin de donner un petit-fils aux grands-pères. Il leur naquit une fille, qui essaya, pendant des décennies, de mettre en œuvre toutes ses facultés pour les rendre heureux, entreprise en réalité sans espoir. Mais cette enfant voulait survivre, et je n'eus d'autre choix que de multiplier les efforts. J'avais, dès le départ, reçu implicitement la mission d'apporter à mes parents la considération, les attentions et l'amour que leurs propres parents leur avaient refusés. Mais pour persister dans cette tentative, je dus renoncer à ma vérité, à mes véritables sentiments. J'avais beau m'évertuer à accomplir cette mission impossible, je fus longtemps rongée par de profonds sentiments de culpabilité. Par ailleurs, j'avais aussi une dette envers moi-même : ma propre vérité – en fait, j'ai commencé à m'en rendre compte en écrivant *Le Drame de l'enfant doué*, où tant de lecteurs se sont reconnus. Néanmoins, même devenue adulte, j'ai continué des décennies durant à essayer de remplir auprès de mes compagnons, mes amis ou mes enfants la tâche que m'avaient fixée mes parents. Le sentiment de culpabilité m'étouffait presque quand je tentais de me dérober à l'exigence de devoir aider les autres et les sauver de leur désarroi. Je n'y ai réussi que très tard dans ma vie.

Rompre avec la gratitude et le sentiment de culpabilité constitua, pour moi, un pas très important vers la libération de ma dépendance à l'égard des parents intériorisés. Mais il en restait d'autres à franchir : celui, surtout, de l'abandon des attentes, du renoncement à l'espoir de connaître un jour ces échanges affectifs sincères, l'authentique communication, dont j'avais tellement manqué auprès de mes parents. Je les ai finalement connus auprès d'autres personnes, mais seulement après avoir déchiffré l'entière vérité sur mon enfance, avoir saisi qu'il m'était impossible de communiquer avec mes parents et mesuré combien j'en avais souffert. C'est alors seulement que j'ai trouvé des êtres capables de me comprendre et auprès desquels il m'était permis de m'exprimer librement et à cœur ouvert. Mes parents sont morts depuis longtemps, mais j'imagine aisément que le chemin est sensiblement plus difficile pour des gens dont les parents sont encore de ce monde. Les attentes datant de l'enfance peuvent être si fortes que l'on renonce à tout ce qui nous ferait du bien pour être enfin tel que le souhaitent les parents, car on ne veut surtout pas perdre l'illusion de l'amour.

Karl, par exemple, décrit ainsi le désarroi qui l'habite :

« J'aime ma mère, mais elle n'en croit rien, car elle me confond avec mon père qui la martyrisait. Pourtant je ne suis pas comme mon père. Elle me rend fou de rage, mais je ne veux pas le lui montrer, car elle y verrait la preuve que je suis comme lui. Je dois donc ravaler ma colère pour ne pas lui donner raison, et ce que je ressens alors envers elle, ce n'est plus de l'amour mais de la haine. Je ne veux pas de cette haine, je veux qu'elle me voie et m'aime tel que je suis, non qu'elle me déteste comme elle le fait avec mon père. Mais comment m'y prendre de la bonne manière ? »

La réponse est qu'on ne s'y prendra jamais de la bonne manière si l'on se règle sur les désirs des autres. L'on ne peut être que ce que l'on est, et l'on ne peut obliger nos parents à nous aimer. Il existe des parents qui ne peuvent aimer que le masque de leurs enfants, et sitôt que ce masque tombe, ils disent souvent, comme je l'ai mentionné plus haut : « Je voudrais seulement que tu restes comme avant. »

Seul le refoulement des événements du passé permet de maintenir l'illusion qu'on finira, malgré tout, par « mériter » l'amour des parents. Elle s'effondre lorsqu'on s'est décidé à regarder la vérité dans toutes ses dimensions, en renonçant à l'automystification que l'on a cultivée au moyen de l'alcool, de la drogue et des produits pharmaceutiques. Anna, trente-cinq ans, mère de deux enfants, m'a posé la question suivante : « Que puis-je répliquer à ma mère qui me répète sans arrêt : "Tout ce que je te demande, c'est de me montrer ton amour. Tu le faisais bien avant, mais tu as tellement changé." Je voudrais lui répondre : "Oui, parce que je sens maintenant que je n'ai pas toujours été sincère avec toi. Je voudrais me conduire honnêtement à ton égard." – Et pourquoi ne peut-on pas le dire de cette façon ? lui ai-je demandé. – J'ai tout de même le droit, répondit Anna, de tenir à ma vérité. Et elle, au fond, a aussi le droit d'apprendre de ma bouche que son impression est exacte. À première vue, ça a l'air très simple. Mais j'ai pitié de ma mère, ce qui m'empêche de lui parler ouvertement. Elle me fait de la peine : quand elle était petite, elle n'a jamais été aimée, on l'a placée chez des étrangers dès sa naissance, et elle se cramponne à mon amour – je ne voudrais tout de même pas le lui retirer. » Je m'informe : « Vous êtes fille unique ? – Non, nous sommes cinq, et tous nous l'entourons de notre mieux. Mais manifestement cela ne comble pas le trou creusé en elle depuis son enfance. – Et vous pensez que vous pourriez parvenir à le combler par un mensonge ? – Non, ça non plus. Pourquoi, effectivement, est-ce que je cherche, par pitié, à lui donner un amour que je n'éprouve pas ? Pourquoi la tromper ? À qui ça sert ? Avant, j'avais tout le temps des maladies, qui ont disparu depuis que j'ai pu m'avouer qu'en réalité je n'ai jamais aimé ma mère parce que je sentais qu'elle profitait de moi, me faisait du chantage émotionnel. Mais j'avais peur de le lui dire, et je me demande aujourd'hui ce que ma pitié pouvait bien lui offrir. Rien qu'un mensonge. Je suis redevable à mon corps d'avoir mis fin à cette comédie. »

Que reste-t-il donc de l'amour quand, comme je l'avais tenté dans ce débat, nous examinons ses différentes composantes ? La gratitude, la pitié, l'illusion, le refoulement de la vérité, les sentiments de culpabilité, le faux-semblant – il s'agit là des éléments constitutifs d'un attachement qui, souvent, nous rend malades. Or, on prend universellement cet attachement morbide pour de l'amour. Quand j'exprime cette idée, je me heurte constamment à des peurs et des résistances. Mais lorsque je réussis, au cours de la discussion, à expliciter ce que j'avance, la résistance fond très vite, et pour nombre de mes interlocuteurs, c'est une étonnante découverte. L'un d'entre eux m'a dit un jour : « C'est vrai, pourquoi est-ce que je me figure que je tuerais mes parents si je leur montrais mes véritables sentiments envers eux ? C'est mon droit de connaître ce que j'éprouve. Il ne s'agit pas ici de vengeance, simplement d'honnêteté. Pourquoi nous la présente-t-on que comme un concept abstrait, et serait-elle interdite dans les relations avec les parents ? »

Eh oui, comme il serait beau de pouvoir parler franchement avec ses parents ! Leurs réactions, leurs attitudes ultérieures ne sont pas de notre ressort, mais ce serait une chance pour nous, pour nos enfants, et, chose non négligeable, pour notre corps, qui, somme toute, nous a conduit à notre vérité.

Cette faculté du corps humain ne cesse de m'émerveiller. Il s'élève contre le mensonge avec une ténacité et une intelligence stupéfiantes. Les prescriptions morales et religieuses ne réussissent pas à le tromper ni à le désorienter. On gave le petit enfant de morale, et il absorbe cette nourriture de bon gré parce qu'il aime ses parents. Seulement, à l'âge scolaire, il va tomber malade à répétition. L'adulte, lui, utilisera son intellect plus développé pour se battre contre la morale, il deviendra peut-être philosophe ou écrivain. Néanmoins ses véritables sentiments à l'égard de sa famille, déjà masqués durant ses années de scolarité par ses ennuis de santé, vont bloquer son épanouissement physique, comme ce fut le cas, par exemple, pour Schiller ou Nietzsche. En fin de compte, bien qu'il ait, avec des observations d'une rare acuité, percé à jour les mensonges de la société, il se trouvera sacrifié sur l'autel de ses parents, de leur morale et de leur religion. Reconnaître qu'il se ment à lui-même, voire qu'il s'est laissé rendre victime de la morale lui est bien plus difficile que d'écrire des ouvrages de philosophie ou des drames géniaux. C'est pourtant l'évolution intérieure de l'individu, et pas une pensée détachée du corps, qui pourrait produire un changement de notre mentalité [1].

Les femmes et les hommes qui, dans leurs jeunes années, ont eu la chance de connaître l'amour et la compréhension n'auront aucun problème avec leur vérité. Ils auront pu développer leurs aptitudes et su en faire bénéficier leurs enfants. Quel pourcentage de la population représentent-ils ? Je l'ignore. Je sais seulement qu'aujourd'hui encore on continue à préconiser les coups comme méthode d'éducation, que les États-Unis, qui se prétendent le modèle de la démocratie et de la civilisation, autorisent toujours, dans vingt-deux États, l'emploi des châtiments corporels dans les écoles, et même que la défense de ce « droit » des parents et des éducateurs y prend une ampleur croissante. Il est absurde de penser qu'on peut enseigner aux enfants la démocratie par la violence. Si cette idée est pourtant si répandue, j'en conclus qu'un très grand nombre de nos contemporains, dans tous les coins du monde, ont subi ce type d'éducation. Chez tous ces gens a joué le même mécanisme : ils ont dû réprimer très tôt leur révolte contre la cruauté et ont grandi sans autre choix que l'insincérité intérieure. On en a la

1. Voir sur ce point le livre d'Olivier Maurel, *La Fessée*, Éditions La Plage, 2004.

preuve en maintes occasions. Si, dans un groupe, quelqu'un s'avise de dire : « Je n'aime pas mes parents parce qu'ils m'ont continuellement humilié », vont inévitablement pleuvoir, de toutes parts, les conseils habituels : « Si tu veux devenir adulte, tu dois changer d'attitude, si tu veux guérir, tu ne dois pas porter en toi de la haine et tu ne pourras t'en libérer qu'en pardonnant à tes parents. Il n'existe pas de parents idéaux, tout le monde commet parfois des fautes, il faut le tolérer, et en tant qu'adulte tu dois être capable d'apprendre à le faire. »

Si tous ces conseils ont une telle force de conviction, c'est uniquement parce qu'on nous les rabâche depuis longtemps, et peut-être nous semblent-ils raisonnables. Seulement, ils ne le sont pas. Beaucoup d'entre eux reposent sur de fausses prémisses, car il n'est pas vrai que le pardon libère de la haine. Il contribue uniquement à la recouvrir et, ce faisant, à l'intensifier encore (dans l'inconscient). Il n'est pas vrai que nous devenions plus tolérants avec l'âge. C'est tout le contraire : l'enfant tolère les absurdités de ses parents parce qu'il les croit normales et qu'il lui est interdit de se défendre. L'adulte, lui, souffre du manque de liberté et des contraintes, mais cela va se faire jour dans ses relations avec des substituts, ses propres enfants et son conjoint. Sa peur infantile, inconsciente, de ses parents l'empêche de découvrir la vérité.

La haine ne rend pas malade. C'est vrai de la haine refoulée, déconnectée, mais non du sentiment vécu consciemment et exprimé. Adultes, nous n'éprouvons de la haine que lorsque perdure une situation où l'expression de nos sentiments nous est refusée. Dans cet état de dépendance, nous commençons à haïr. Dès que nous en sortons (et l'adulte le peut dans la plupart des cas, sauf s'il est prisonnier d'un régime totalitaire), dès que nous nous délivrons de cet esclavage, la haine s'évanouit. Mais tant qu'il demeure, il ne sert à rien de s'interdire de haïr, comme le prescrivent toutes les religions. Il faut comprendre ce qui se passe pour pouvoir adopter ce comportement qui nous libère de la dépendance génératrice de haine.

Il existe naturellement des gens qui, dès le plus jeune âge, ont été coupés de leurs sentiments les plus authentiques, restant sous l'emprise d'institutions comme l'Église et se laissant dicter leurs sentiments. Mais il me paraît inconcevable qu'il en soit toujours ainsi. Quelque part, un jour ou l'autre, on secouera le joug. Et une fois que, ici ou là, des individus isolés, bravant leurs peurs bien compréhensibles, auront trouvé le courage de dire leur vérité, de la ressentir et de la faire connaître, de communiquer avec les autres sur cette base, le processus dévastateur prendra fin.

Si l'on est disposé à se rendre compte de la quantité d'énergie dont des enfants doivent faire preuve pour survivre à des traitements cruels et souvent d'un sadisme extrême, on ne peut qu'être enclin à l'optimisme. Car il est aisé de concevoir que notre monde pourrait être meilleur si ces enfants (comme Rimbaud, Schiller, Dostoïevski, Nietzsche) pouvaient mettre leur énergie presque illimitée au service d'autres buts, plus productifs, que la seule lutte pour exister.

3.
Notre corps est le gardien de notre vérité

Élisabeth, 28 ans, écrit :

« Ma mère m'a gravement maltraitée dans mon enfance. À la moindre contrariété, elle me frappait à coups de poing sur la tête, me projetait contre le mur, me tirait par les cheveux. Je n'avais aucune possibilité d'éviter les raclées car je n'arrivais jamais à comprendre la véritable raison de ces explosions et à chercher ainsi à les prévenir. Je m'évertuais donc à détecter, au plus léger indice, les moindres oscillations d'humeur de ma mère, dans l'espoir de détourner l'orage en pliant l'échine. J'y réussissais parfois, mais la plupart du temps mes efforts étaient vains. Lorsque, il y a quelques années, je fus atteinte de dépressions répétées, je suis allée voir une thérapeute, à laquelle j'ai beaucoup parlé de mon enfance. Au début, tout a marché merveilleusement. Elle semblait m'écouter, ce qui me soulageait énormément. Puis elle commença à me dire, de temps à autre, des choses qui ne me plaisaient pas. Mais je réussis, comme toujours, à faire la sourde oreille à mes sentiments et à m'adapter à sa mentalité. Elle semblait très influencée par la philosophie orientale. Au début, je pensais que ça ne me gênerait pas, du moment qu'elle était prête à m'écouter. Seulement, elle chercha bientôt à me persuader que je devais faire la paix avec ma mère si je ne voulais pas trimballer toute ma vie cette haine en moi. N'y tenant plus, j'interrompis la thérapie. Non sans dire à ma psy, à la dernière séance, qu'en ce qui concernait mes sentiments envers ma mère, j'étais mieux informée qu'elle. Il me suffisait d'interroger mon corps. Car sitôt que, lors de mes rencontres avec ma mère, je réprimais mes sentiments, il me le signalait par de lourds symptômes. Mon corps n'est pas influençable. Il connaît parfaitement ma vérité, bien mieux que mon Moi conscient. Il sait, dans les moindres détails, tout ce que j'ai enduré. Il ne me permet pas de me voiler la face sous prétexte de respecter les conventions sociales. Depuis que je prends ses messages au sérieux et leur obéis, je n'ai plus de migraines ni de crises de sciatique, et je suis sortie de mon isolement. J'ai trouvé des gens à qui je peux parler de mon enfance, qui me comprennent parce qu'ils portent en eux des souvenirs analogues, et je ne veux plus de thérapie. J'aimerais rencontrer quelqu'un qui me laisse vivre, m'accepte avec tout ce que j'ai envie de raconter, sans m'assener des leçons de morale et qui pourrait ainsi m'aider à intégrer mon douloureux passé. C'est d'ailleurs ce que j'ai commencé à faire, avec le soutien de quelques amis. Je suis plus proche de mes sentiments que je ne l'ai jamais été. Je participe à deux groupes de parole où je peux les exprimer et m'essayer à une nouvelle forme de communication qui me convient. Mes troubles physiques et mes dépressions ont presque disparu. »

La lettre d'Élisabeth semblait pleine de confiance en l'avenir, et lorsque, un an plus tard, j'en reçus une nouvelle, je ne fus pas surprise de son contenu.

« Je ne suis plus aucune thérapie et je vais bien. Je n'ai pas vu ma mère de toute l'année et je n'en éprouve pas le besoin, car mes souvenirs d'enfance, de sa brutalité, sont si vivaces qu'ils me préservent de toute illusion, ainsi que de l'espoir qu'elle pourrait me donner un jour ce dont j'avais tellement besoin quand j'étais petite. Certes, je ressens de temps à autre ce manque, mais je sais auprès de qui je n'ai aucune chance de le combler. Contrairement aux prédictions de ma thérapeute, je n'éprouve pas de haine. Je n'ai pas besoin de haïr ma mère car je suis débarrassée de ma dépendance émotionnelle envers elle. Mais cela, ma psy ne l'a pas compris. Elle visait à me délivrer de ma haine et n'a pas vu qu'elle m'y enfonçait, puisque celle-ci était précisément l'expression de ma dépendance, recréée par ses conseils. Si je les avais suivis, je détesterais ma mère encore aujourd'hui. Or ça, c'est fini, puisque à présent je n'ai plus la souffrance de devoir prétexter n'importe quoi. Ma haine, c'était celle de l'enfant dépendant, que ma thérapeute m'aurait amenée à perpétuer si je ne l'avais quittée à temps. »

Je me réjouis de la solution qu'avait trouvée Élisabeth. D'un autre côté, je connais des gens qui ne possèdent pas cette force et cette clairvoyance et ont absolument besoin d'un thérapeute pour les soutenir, sans leçons de morale, sur ce chemin vers leur propre Soi. Des comptes-rendus de traitements, qu'ils soient ratés ou réussis, peuvent peut-être permettre à certains thérapeutes de mieux prendre conscience des dangers de la morale traditionnelle et de la propager, par mégarde, dans leurs thérapies.

Que l'on rompe ou non les contacts avec les parents n'est pas un point essentiel. Le processus de détachement, le chemin de l'enfant à l'adulte, s'effectue en effet intérieurement. Couper les ponts est parfois le seul moyen de répondre à nos propres besoins. Par ailleurs, pour que les contacts aient encore du sens, il faut impérativement s'être assuré de ce que l'on peut ou non supporter. Il ne faut pas se contenter de savoir ce qui nous est arrivé, mais aussi nous montrer capable de mesurer *ce que cela nous a fait*.

Chaque cas est différent, et les formes des relations avec les parents peuvent varier à l'infini. Mais il existe des règles inéluctables :

Les vieilles blessures ne peuvent cicatriser que lorsque leur victime a décidé de changer, de se témoigner du respect et réussit donc à abandonner, dans une large mesure, les attentes de l'enfant.

Les parents ne changeront pas automatiquement si leurs enfants adultes leur montrent de la compréhension et leur pardonnent. Le changement ne peut émaner que d'eux-mêmes, et suppose qu'ils en aient la volonté.

Aussi longtemps que les souffrances résultant des blessures resteront niées, quelqu'un – l'ancienne victime ou ses enfants – en paiera le prix, souvent au détriment de sa santé.

Un enfant maltraité, jamais autorisé à devenir adulte, tente, sa vie durant, de rendre hommage aux « bons côtés » de ses parents, auxquels il accrochera ses attentes. Élisabeth, par exemple, a longtemps persisté dans cette attitude. « Ma mère, raconte-t-elle, me faisait parfois la lecture, j'adorais ça. Parfois aussi, elle me prenait pour confidente, me parlait de ses soucis. Alors, je me sentais une élue. Et comme à ces moments-là elle ne me battait jamais, j'avais l'impression d'être hors de danger. » Ce genre de récit me rappelle la description qu'a donnée Imre Kertész de son arrivée à Auschwitz. Afin de faire échec à sa peur et de survivre, il trouvait en toute chose un côté positif. Mais Auschwitz restait Auschwitz. Ce n'est que des dizaines d'années plus tard qu'il put mesurer et sentir les dégâts laissés sur son psychisme par cette extrême barbarie et ces humiliations systématiques.

Par cette allusion à Kertész et à ce qu'il a vécu au camp, je ne veux toutefois pas dire que, s'ils reconnaissent leurs torts et expriment leurs regrets pour la souffrance infligée à leurs enfants, il ne faut pas pardonner à ses parents. Malheureusement, c'est rare. Il est beaucoup plus fréquent, en revanche, de voir se maintenir la dépendance : les parents âgés, affaiblis, cherchent un soutien auprès de leurs enfants adultes et recourent à la culpabilisation pour obtenir leur pitié. C'est cette même compassion qui a peut-être entravé dès le départ le développement personnel de l'enfant – son passage à l'état adulte – et qui continue à le faire. Ce petit garçon ou cette petite fille a toujours eu peur de ses propres besoins, sa soif de vivre, lorsque ses parents ne voulaient pas de cette vie.

La vision refoulée, mais exacte, de sa situation, emmagasinée dans le corps d'un enfant non désiré, à savoir : « On veut me tuer, je suis en danger de mort », peut s'effacer chez l'adulte si elle devient consciente. Alors, l'émotion initiale (la peur, le stress) se transforme en un souvenir qui dit : « En ce temps-là *j'étais* en danger, mais je ne le suis plus. » Pareil souvenir conscient précède le plus souvent la reviviscence des émotions de l'enfance et le chagrin, ou les accompagne.

Une fois que nous aurons appris à vivre avec nos sentiments au lieu de les combattre, les manifestations de notre corps ne nous apparaîtront plus comme une menace, mais comme de salutaires rappels de notre histoire.

4.
Briser les interdits

Je me souviens encore clairement des peurs qui m'habitaient quand j'écrivais *L'Enfant sous terreur.* L'Église avait pu condamner pendant trois cents ans, me disais-je, la découverte de Galilée, dont le corps avait réagi – il était devenu quasiment aveugle – lorsqu'on l'avait forcé à abjurer la vérité. Cette histoire me hantait et je me sentais envahie d'un sentiment d'impuissance. Je savais parfaitement que je venais de mettre le doigt sur une loi non écrite : l'utilisation dévastatrice de l'enfant pour les besoins de vengeance de l'adulte et le tabou jeté sur cette réalité que la société interdit de voir.

Ne devais-je pas m'attendre aux plus terribles châtiments pour avoir résolu de rompre ce tabou ? Mais ma peur m'aida aussi à comprendre beaucoup de choses, entre autres que c'était précisément cette raison qui avait poussé Freud à renier ses découvertes. Ne devais-je pas, à présent, afin de ne pas provoquer les foudres de la société, subir des attaques et l'exclusion, suivre ses traces et faire silence sur les miennes, sur la fréquence et les effets de la maltraitance des enfants ?

De quel droit avais-je vu quelque chose que tant de gens, qui continuaient à porter à Freud une vénération sans réserves, n'avaient pas vu : à savoir qu'il s'était dupé lui-même ? Je me souviens qu'à chaque fois que je voulais négocier avec moi-même, que je me demandais si je ne pourrais pas trouver un compromis, que je voulais ne publier qu'une part de la vérité, se déclenchaient inéluctablement des troubles digestifs ou du sommeil et je sombrais dans des humeurs dépressives. Quand je saisis qu'il n'était plus question pour moi de faire des compromis, ces symptômes disparurent.

La publication de mon livre fut effectivement suivie d'un rejet complet de l'ouvrage et de ma personne dans ce monde professionnel où, à l'époque, je me sentais encore chez moi. Je demeure toujours frappée d'anathème, mais, à la différence de la situation où je me trouvais dans mon enfance, ma vie ne dépend plus de mon acceptation dans « la famille ». Le livre a fait son chemin, et ses affirmations alors « interdites » sont aujourd'hui considérées, tant aux yeux des gens de métier que des profanes, comme des évidences.

Ma critique de la démarche de Freud est à présent largement partagée, et la plupart des professionnels prennent en considération, au moins sur le plan de la théorie, les graves conséquences de la maltraitance des enfants. Je n'ai donc pas été mise à mort et, de mon vivant, il m'a été donné de savoir que ma voix s'est fait entendre. Je puise dans cette expérience la conviction que ce livre aussi sera compris un jour, même si, dans un premier temps, il peut choquer, car la plupart des gens s'attendent à être aimés de leurs parents et ne veulent pas renoncer à cet espoir. Mais beaucoup de lecteurs comprendront ce livre dès lors qu'ils voudront se comprendre eux-mêmes. L'effet de choc s'apaisera sitôt qu'ils se rendront compte qu'ils ne sont pas seuls avec leur savoir et ne sont plus exposés aux dangers de leur enfance.

Judith, quarante ans, fut, dans son enfance, abusée sexuellement par son père, avec une extrême brutalité. Sa mère ne chercha jamais à la protéger. Elle suivit une thérapie qui lui permit de lever son refoulement et, après s'être séparée de ses parents, de guérir peu à peu de ses symptômes. Néanmoins, la peur du châtiment, restée déconnectée jusqu'à ce traitement grâce auquel elle apprit enfin à la ressentir, subsista longtemps. Notamment parce que sa thérapeute jugeait impossible de recouvrer complètement la santé si l'on coupait les ponts avec les parents. Judith essaya donc de parler avec sa mère. Chacune de ses tentatives se heurta à un refus total et à une vive réprimande : « Elle devait tout de même savoir qu'il y a des choses qu'il ne faut jamais dire aux parents ! » Leur adresser des reproches, c'était contrevenir au commandement « Tes père et mère honoreras », et donc offenser Dieu, lui répétait la mère dans ses lettres.

Ces réactions aidèrent Judith à percevoir les limites de sa thérapeute, elle aussi prisonnière d'un schéma où elle semblait puiser la conviction de savoir, de science certaine, ce que l'on devait ou devrait faire, ce qui était permis ou non. Après s'être adressée à une autre thérapeute, avec qui elle travailla un bref laps de temps, Judith cessa de se contraindre à ce genre de relations et découvrit combien son corps lui en était reconnaissant. Dans son enfance, elle n'avait pas le choix, il lui fallait vivre auprès d'une mère qui avait assisté avec indifférence à son martyre et qui répondait à tous les propos de sa fille en lui assenant des clichés. Si Judith s'avisait de lui dire quelque chose de personnel, de vrai, elle se heurtait invariablement à une rebuffade. Or un enfant ainsi rejeté a l'impression qu'il a perdu sa mère et se sent en danger de mort. La peur qui en résulte n'a pas pu s'éteindre dans la première thérapie, car les discours moralisateurs de la psychologue alimentaient constamment cette sensation de menace. Il s'agit ici d'influences extrêmement subtiles, que la plupart du temps nous discernons à peine car elles sont en parfait accord avec les valeurs traditionnelles, celles dans lesquelles nous avons été élevés.

Il était évident, et ce l'est généralement encore aujourd'hui, que les parents ont le droit d'être honorés même s'ils se sont comportés de façon destructrice envers leurs jeunes enfants. Mais, dès que l'on a décidé de se soustraire à ce système de valeurs, on trouve quasiment grotesque d'entendre dire qu'une femme adulte doit respecter les père et mère qui l'ont maltraitée ou ont pu assister aux sévices sans souffler mot.

Et pourtant, cette injonction absurde passe pour normale. Aussi étrange que cela soit, même des thérapeutes et des auteurs réputés restent incapables de se départir de l'idée qu'accorder son pardon aux parents est le couronnement d'une thérapie réussie. Même si cette thèse est aujourd'hui soutenue avec moins d'assurance qu'il y a quelques années, les attentes qui lui sont liées demeurent vives. Tout se passe comme si l'on subissait le joug d'une injonction implicite : « Malheur à toi si tu n'observes pas le Quatrième Commandement. » Nombre des auteurs en question précisent certes qu'il ne faut pas se hâter, que le pardon n'a pas sa place au début de la thérapie, qu'il faut au préalable réactiver les émotions fortes. Mais la plupart d'entre eux s'accordent apparemment sur un point : un jour ou l'autre, le patient doit parvenir à suffisamment de maturité pour l'octroyer. Ces professionnels estiment que, de toute évidence, il est bénéfique et important de pouvoir enfin pardonner, de tout son cœur, à ses parents. Pour ma part, je ne partage pas ce point de vue, car notre corps ne se compose pas uniquement du cœur et notre cerveau n'est pas un simple récipient que l'on a pu remplir à ras bord de ces absurdités et contradictions. C'est un organe vivant, qui garde en mémoire tout ce qui nous est arrivé. Toute personne capable d'appréhender pleinement cet état de fait dirait : « Dieu ne peut pas me demander de croire quelque chose qui, à mes yeux, renferme une contradiction et porte atteinte à ma vie. »

Peut-on attendre de son thérapeute qu'il s'oppose, si nécessaire, au système de valeurs de nos parents afin de nous accompagner vers notre vérité ? Je suis persuadée que c'est le droit, et même le devoir, de tout praticien, a fortiori si le patient est déjà apte à prendre au sérieux le message de son corps. Pour illustrer mon propos, voici ce qu'écrit une jeune femme prénommée Dagmar.

« Ma mère souffre d'une maladie de cœur. Je voudrais être gentille avec elle, et je m'efforce de me rendre à son chevet, aussi souvent que je le puis, pour lui tenir compagnie. Mais à chacune de mes visites, je suis prise d'intolérables maux de tête, je me réveille au milieu de la nuit inondée de sueur et, pour finir, sombre dans une crise de dépression avec des idées de suicide. Dans mes rêves, je me revois enfant, la petite fille qu'elle jetait par terre et traînait par les cheveux en gueulant. Oh ces hurlements !

Comment concilier tout ça ? Il faut que j'aille la voir, c'est ma mère. Mais je ne veux pas y laisser ma peau, ni tomber malade. J'ai besoin de quelqu'un qui me vienne en aide et me dise que faire pour trouver la paix. Je ne veux pas me mentir, ni mentir à ma mère en jouant la fille attentionnée. Mais je ne veux pas non plus me montrer sans cœur et la laisser toute seule sur son lit de malade. »

Il y a quelques années, Dagmar avait suivi une thérapie au cours de laquelle elle avait pardonné à sa mère toutes ses cruautés. Mais la maladie de celle-ci a réveillé en elle ses vieilles émotions de petit enfant, qui la laissent désemparée. Elle préférerait mettre fin à ses jours plutôt que de décevoir les attentes de sa mère, de la société et de la thérapeute. Elle souhaiterait, dans la situation actuelle, entourer sa mère comme une fille aimante, mais cela signifierait se duper elle-même. Son corps le lui fait savoir sans ambages.

Je ne veux pas insinuer, à travers cet exemple, qu'il ne faut pas accompagner avec amour des parents au seuil de la mort. Chacun doit décider par lui-même de la conduite à adopter. Cependant, lorsque notre corps nous rappelle si clairement notre histoire, les mauvais traitements qui nous ont été infligés, nous n'avons d'autre choix que de prendre son langage au sérieux. Parfois, des tiers seront bien plus capables d'entourer l'agonisant qui ne les a pas fait souffrir. Ils n'auront pas à se forcer à mentir. Ils pourront lui témoigner de la compassion sans devoir prétendre de l'aimer. En revanche, chez un fils ou une fille, les bons sentiments resteront, dans certains cas et malgré tous les efforts, obstinément absents. Cela du fait que ces enfants, même adultes, tiennent encore à leurs parents par toutes les fibres de leurs attentes et voudraient, du moins en ces derniers instants, trouver auprès d'eux cette sensation de communion et d'accord avec soi-même que jamais, jusqu'à ce jour, ils n'ont pu ressentir en leur présence. Dagmar écrit :

« Chaque fois que je parle avec ma mère, je sens comme un poison s'infiltrer dans mon corps et y former un abcès. Mais il m'est interdit de m'en apercevoir, sous peine d'être rongée de culpabilité. Puis l'abcès se met à suppurer et je tombe dans la dépression. Je tente alors, une fois de plus, d'accepter mes sentiments et je me dis que j'ai le droit de les éprouver, dans toute l'intensité de ma colère. Quand je fais cela, quand je donne libre cours à mes sentiments, alors même qu'ils sont rarement positifs, c'est comme une bouffée d'air, je retrouve ma respiration. Je commence à me donner l'autorisation de persister dans mes vrais sentiments. Lorsque j'y réussis, je me sens mieux, plus vivante, et ma dépression disparaît.

Et pourtant je ne cesse, contre toute raison, d'essayer de comprendre ma mère, de l'accepter comme elle est, de tout lui pardonner. Je le paye invariablement par des crises de dépression. Je ne sais pas si la lucidité suffit à guérir les blessures, mais je prends mon expérience très au sérieux. Ça n'a pas été le cas de ma première thérapeute. Elle, elle voulait absolument améliorer ma relation avec ma mère. Elle ne pouvait pas accepter l'état de choses actuel. Moi non plus. Mais comment puis-je me respecter si je méconnais mes vrais sentiments ? Car alors je ne saurais pas qui je suis, qui je respecte. »

Ce désir d'être différent, afin de faciliter la vie à ses vieux parents et qu'ils vous accordent finalement leur amour, est bien compréhensible mais se trouve trop souvent en contradiction avec le besoin profond, étayé par le corps, d'être fidèle à soi-même. Je pense que l'estime de soi naîtra d'elle-même sitôt que ce besoin pourra être satisfait.

5.
Aux racines de la violence

Pendant longtemps, les tueurs en série ont été considérés comme des « monstres » venus au monde avec des instincts anormaux, et la psychiatrie ne s'est guère intéressée à leur enfance. Mais cet état de fait est en train de changer. Ainsi un article paru dans *Le Monde* du 8 juin 2003 est consacré à une description circonstanciée de l'enfance de Patrice Alègre, et l'on y voit clairement, sans longs discours, ce qui a poussé cet homme à violer puis étrangler plusieurs femmes. Il n'est nul besoin de recourir à des théories psychologiques compliquées, ou de postuler une propension innée au Mal, pour comprendre ce qui a fait de lui un tel criminel : il suffit d'un simple regard sur l'atmosphère familiale où il a grandi. Mais ce regard est d'autant moins simple à porter que, la plupart du temps, on ménage les parents du criminel et on les absout à peu de frais de leur coresponsabilité.

Il n'en est pas ainsi dans l'article du *Monde*. Il dépeint, à gros traits, une enfance qui ne laisse aucun doute sur le pourquoi du parcours du tueur. Patrice Alègre a été le premier-né d'un très jeune couple qui, en fait, ne voulait pas d'enfant. Le père était policier, et, raconte Patrice lors de son procès, ne rentrait à la maison que pour le battre et l'injurier. Il haïssait ce père et se réfugiait auprès de sa mère, qui, selon lui, l'aimait et à laquelle il était tout dévoué. Elle se prostituait, et abstraction faite de l'hypothèse de l'expert – à savoir qu'elle se procurait des satisfactions incestueuses avec le corps de son enfant –, elle demandait à son fils de monter la garde quand elle avait un client. Le gamin devait se tenir devant la porte et l'avertir en cas de danger (sans doute l'arrivée du père). Patrice raconte qu'il n'était pas toujours obligé de regarder ce qui se passait dans la chambre, mais ne pouvait fermer ses oreilles et souffrait sans le dire d'entendre continuellement les gémissements et soupirs de sa mère que, tout petit déjà, il avait vue, avec une peur panique, se livrer à des pratiques sexuelles orales.

Il se peut que des enfants ayant vécu un destin analogue réussissent à survivre sans devenir ensuite des criminels. L'être humain a d'incroyables ressources : il peut aussi devenir, par exemple, un écrivain célèbre, comme Edgar Allan Poe, qui se réfugia dans l'alcool jusqu'à en mourir. Ou encore Guy de Maupassant, qui a « instrumentalisé » la détresse de son enfance tragique à travers quelque trois cents récits, mais néanmoins s'enfonça dans un état psychotique, à l'instar de son jeune frère avant lui, et mourut dans une clinique spécialisée, à l'âge de quarante-deux ans.

Il n'a pas été donné à Patrice Alègre de rencontrer une seule personne susceptible de le sauver de son enfer et de lui permettre de voir les crimes de ses parents pour ce qu'ils étaient. Il pensa donc que le monde était à l'image de sa famille, décida de se débrouiller seul et recourut au vol, à la drogue et aux actes de violence pour échapper à la toute-puissance de ses parents. Lors de son procès, il affirma – et c'était probablement la stricte vérité – que ses viols ne répondaient à aucun besoin sexuel, uniquement à celui de se sentir tout-puissant. Comment la justice peut-elle réagir à une telle affirmation ? Il n'y a pas trente ans, un tribunal allemand ordonnait de castrer le tueur d'enfants Jürgen Bartsch, qui avait été psychiquement détruit par sa mère. Les juges escomptaient que cette opération l'empêcherait, à l'avenir, de décharger sur des enfants ses « pulsions sexuelles trop fortes ». Mais cet acte inhumain est grotesque et révélateur d'une ignorance stupéfiante ! Les tribunaux doivent avant tout se rendre compte du rôle capital que joue, chez un tueur en série de femmes et d'enfants, le besoin de toute-puissance de l'enfant autrefois méprisé et sans défense. La sexualité n'a, en l'occurrence, qu'un caractère marginal, sauf si, par suite d'un inceste, le sentiment de totale impuissance s'est trouvé lié à des expériences sexuelles.

Et malgré tout, une question demeure : n'y avait-il pas, pour Patrice Alègre, d'autre issue que le meurtre, l'étranglement, tant de fois répété, de la femme gémissante ? Pour un regard extérieur, il apparaît très vite que, à travers ses différentes victimes, c'est toujours sa mère qu'il étrangle, la femme qui, enfant, l'avait condamné à de si terribles souffrances. Mais lui, il était incapable de le voir. C'est pourquoi il lui fallait d'innocentes victimes. Patrice Alègre affirme, aujourd'hui encore, qu'il aime sa mère. Et comme personne ne lui est venu en aide, qu'il n'a trouvé aucun témoin lucide pour lui donner la possibilité et l'autorisation de laisser émerger ses désirs de mort envers elle, d'en prendre conscience et de les comprendre, ceux-ci ont sans répit bouillonné et proliféré en lui, l'ont contraint à tuer d'autres femmes à la place de sa mère.

« Ce n'est pas si simple », diront nombre de psychiatres. Et pourtant je pense que c'est beaucoup plus simple que ce que nous croyons : pour pouvoir honorer nos parents, nous apprenons à ne pas ressentir la haine qu'ils méritent. Mais la haine d'un Patrice Alègre n'aurait tué personne s'il avait pu la vivre consciemment. Tout résulte de l'attachement – objet de tant de louanges – à sa mère, cet attachement qui l'a poussé au meurtre. Enfant, il ne pouvait attendre le salut que de sa mère, parce que avec son père, il se trouvait perpétuellement en danger de mort. Comment un enfant constamment menacé, terrorisé par son père, aurait-il pu se permettre, par-dessus le marché, de haïr sa mère, ou du moins de réaliser qu'il n'avait aucune aide à attendre d'elle ? Il lui fallait s'illusionner et se cramponner à cette chimère… On sait le prix que paieront plus tard ses nombreuses victimes. Les sentiments ne tuent pas, et s'il avait vécu consciemment la déception que lui inspirait sa mère, et même ses envies de l'étrangler, il n'aurait assassiné personne. C'est la répression de ses besoins et la déconnexion de tous les sentiments négatifs qu'inconsciemment il entretenait à son égard qui l'ont poussé à commettre de telles horreurs.

6.
Quand notre corps est en manque

Dans mon enfance, j'ai dû apprendre à réprimer mes réactions les plus naturelles aux blessures (par exemple la rage, la colère, la douleur ou la peur), de crainte d'une punition. Plus tard, à l'école, je fus même fière de mon aptitude à la maîtrise de soi et à la retenue. Je prenais cette capacité pour une vertu, et en attendais autant de mon premier enfant. C'est seulement après avoir réussi à abandonner cette vue de l'esprit que je parvins à comprendre la souffrance d'un enfant auquel on interdit de réagir de manière appropriée à une blessure. On l'empêche ainsi d'expérimenter, dans un entourage bienveillant, la façon de se comporter envers ses émotions, afin que plus tard, au lieu de craindre ses sentiments, il puisse s'appuyer sur eux pour mieux s'orienter dans la vie.

Beaucoup de gens, malheureusement, sont dans le même cas. Quand ils étaient enfants, ils n'avaient pas le droit de laisser percer leurs émotions fortes, donc de les vivre – ce à quoi, plus tard, ils ont aspiré profondément. Certains ont eu la chance, dans le cadre d'une thérapie, de mettre au jour ces émotions et de les réactiver, de sorte qu'elles se sont muées en sentiments conscients, que l'on peut situer dans sa propre histoire et, ainsi, comprendre et non plus redouter. Mais d'autres refusent d'accomplir ce chemin parce qu'ils ne peuvent ou ne veulent s'ouvrir de leur tragique passé à personne. Dans notre société de consommation, cette attitude est largement répandue. Les bonnes manières exigent de ne pas montrer ses sentiments, sauf dans des circonstances exceptionnelles, sous l'effet de l'alcool ou de la drogue. Par ailleurs, on tourne volontiers en dérision les sentiments (les siens ou ceux d'autrui). Dans le show-business et le journalisme, la distanciation ironique est souvent de mise et la répression de vos sentiments peut même vous rapporter beaucoup d'argent… Fût-ce au risque de perdre, au bout du compte, tout accès à sa vérité, de ne plus fonctionner que derrière un masque, sous le couvert d'une personnalité d'emprunt ; de s'adonner à la drogue, à l'alcool et se bourrer de médicaments… L'alcool aide à rester de bonne humeur et les drogues dures se montrent encore plus efficaces en la matière. Mais comme ces émotions ne sont pas authentiques, ne concordent pas avec la véritable histoire du corps, l'effet de tels produits est nécessairement temporaire, et il faut bientôt des doses de plus en plus élevées pour combler le trou laissé par l'enfance.

Dans un article du magazine allemand *Der Spiegel on line* daté du 7 juillet 2003, un jeune homme, brillant journaliste qui collabore à divers organes de presse, raconte sa longue dépendance à l'héroïne. Je cite ici quelques passages de son récit, dont la sincérité et l'honnêteté m'ont beaucoup touchée :

« Deux jours avant Noël, j'ai essayé d'étrangler mon amie. Ces derniers temps, les fêtes de fin d'année font, à tous les coups, dérailler ma vie. Il y a déjà quinze ans que je me bats, avec plus ou moins de succès, contre ma dépendance à l'héroïne. J'ai derrière moi des dizaines de tentatives de désintoxication et deux thérapies de longue durée avec hospitalisation. Depuis quelques mois, j'ai recommencé à me piquer quotidiennement à l'héroïne, en y joignant souvent de la coke. Au début, tout s'est bien passé. Je collaborais aux journaux les plus intéressants du pays et gagnais fort convenablement ma vie. J'avais emménagé dans un spacieux appartement situé dans un immeuble ancien. Et, c'est peut-être le plus important, j'étais à nouveau tombé amoureux. Or ce soir-là, à l'avant-veille de Noël, le corps de mon amie gisait sur le parquet et se tordait sous moi, mes mains enserrant son cou. Ces mains, quelques heures auparavant, je m'efforçais encore désespérément de les cacher. J'étais assis dans l'une des suites d'un grand hôtel et interviewais l'un des metteurs en scène les plus réputés d'Allemagne. Depuis quelque temps, j'avais dû me résoudre à me piquer dans les petites veines du dos de la main et dans les doigts, les veines de mes bras étant totalement fichues. À présent, mes mains ressemblaient aux griffes d'un monstre dans un film d'horreur – boursouflées, violacées, criblées de piqûres. Je ne portais plus que des pulls à manches très longues. Heureusement, on était en hiver. Le cinéaste avait de belles mains fines. Des mains perpétuellement en mouvement qui, quand il réfléchissait, jouaient avec mon magnétophone. Des mains avec lesquelles il semblait façonner son monde.

J'avais du mal à me concentrer sur notre entretien. J'avais dû venir par avion, et mon dernier shoot remontait à de longues heures. Je me l'étais fait avant d'embarquer, trouvant trop risqué d'introduire de l'héroïne à bord. En outre je n'en achetais chaque jour qu'une quantité déterminée, afin de contrôler plus ou moins ma consommation. Par suite, à la fin de la journée, j'étais souvent en manque. J'avais les nerfs en pelote, j'étais trempé de sueur. Je n'avais qu'une idée : rentrer chez moi. Sur-le-champ. Fixer mon attention sur quoi que ce soit d'autre exigeait carrément un effort physique. Je réussis néanmoins à terminer l'interview. S'il y avait quelque chose que je craignais encore plus que les tortures du manque, c'était le danger de perdre mon boulot. Dès ma dix-septième année, je rêvais de gagner ma vie avec ma plume. Depuis bientôt dix ans, ce rêve était devenu réalité. Il me semblait parfois que mon travail était la dernière parcelle de vie qui me restait. »

Il est intéressant de constater que le travail constitue le dernier rempart. Car travailler signifie qu'on est capable de se maîtriser. Mais alors, où se trouve la vraie vie ? Où sont les sentiments ?

« Je me cramponnais donc à mon travail. Et à chaque nouveau papier à faire, la peur de ne plus être à la hauteur me rongeait les tripes. Je ne comprenais pas moi-même comment j'arrivais, une fois de plus, à supporter un voyage, à réaliser une interview, écrire un texte.

J'étais donc assis dans cette chambre d'hôtel et menais un entretien, dévoré par la peur de l'échec, la honte, le besoin de ma dose, et en me haïssant. Plus que quarante-cinq minutes… Il faut que tu tiennes le coup. Je regardais le cinéaste, ses gestes qui enveloppaient ses phrases. Quelques heures plus tard, je regardais mes mains, occupées à étrangler mon amie… »

On voit que la drogue parvient – tout au moins tant que dure son effet – à étouffer les peurs et la douleur pour que l'intéressé n'ait pas accès à ses sentiments. Mais dès que cet effet s'estompe, ces émotions non vécues jaillissent avec une force accrue. C'est également ce qui se passe ici :

« Le voyage de retour, après cette interview, fut un martyre. Dans le taxi, j'étais à moitié dans les vapes, une sorte d'état d'épuisement, de somnolence fiévreuse entrecoupée de réveils en sursaut. Ma peau était couverte d'une pellicule de sueur froide. Je risquais, semblait-il, de rater mon avion. Attendre une heure et demie de plus le prochain shoot me paraissait insupportable. Je regardais ma montre toutes les quatre-vingt-dix secondes. Quand tu es toxico, le temps devient ton ennemi. Tu attends, continuellement, en un cycle inéluctablement récurrent. Tu attends l'apaisement des douleurs, ton dealer, la prochaine rentrée d'argent, une place au centre de désintoxication ou tout simplement que le jour finisse. Que tout ça finisse enfin. Après chaque piqûre, la montre reprend irrévocablement sa marche malveillante.

Peut-être est-ce le trait le plus sournois de la toxicomanie – elle fait de tout et de chacun ton ennemi. Le temps, ton corps qui ne se manifeste plus que par des besoins importuns, tes amis et ta famille qui s'inquiètent pour toi, un monde qui ne t'adresse que des demandes auxquelles tu te sens inapte à répondre. Rien n'organise la vie aussi rigoureusement que les stupéfiants. Il ne reste plus aucune place au doute, pas même à la prise de décision. La satisfaction se mesure à l'aune de la quantité de drogue disponible. La toxicomanie dicte l'ordonnancement du monde.

Cet après-midi-là, je n'étais qu'à quelques centaines de kilomètres de chez moi, mais je me sentais à l'autre bout de la terre. La maison, c'était l'endroit où m'attendait ma dose. J'avais réussi à attraper mon avion, mais ce ne fut qu'un apaisement très momentané. L'avion avait du retard, je retombai dans ma somnolence. Chaque fois que j'ouvrais les yeux et voyais que l'appareil se trouvait toujours sur le tarmac, j'avais envie de hurler. Le manque s'instillait lentement dans mes membres, me tailladait les os. Bras et jambes se déchiraient à l'intérieur, comme si les muscles et les tendons étaient trop courts. »

Les émotions bannies se frayent un chemin et viennent assaillir le corps.

« Monica m'attendait dans mon appartement. Dans l'après-midi, elle s'était rendue chez notre dealer, un jeune Noir, pour acheter de l'héroïne et de la cocaïne. Avant mon départ, je lui avais laissé la somme nécessaire. C'était un arrangement strictement privé : je gagnais suffisamment d'argent, et elle se chargeait de nous procurer la drogue.

Je haïssais les junkies, et voulais avoir affaire le moins possible avec ce monde-là. Au travail, je limitais, autant que faire se pouvait, mes contacts avec mes copains à des échanges par mail ou par fax, n'usais du téléphone que lorsque le message laissé sur mon répondeur ne me laissait pas d'autre choix. Quant à mes amis, il y avait longtemps que je ne leur parlais plus, d'ailleurs je n'avais rien à leur dire.

Comme je le faisais si souvent ces dernières semaines, j'avais passé des heures dans mon bain et cherchais à trouver une veine pas encore complètement esquintée. La cocaïne, surtout, ronge les veines, les innombrables injections avec des seringues non stériles font le reste. Ma salle de bains ressemblait à une boucherie, des traînées de sang maculaient le lavabo et le sol, constellaient les murs et le plafond.

Ce jour-là, j'avais limité les manifestations du manque en aspirant environ un gramme d'héroïne – la poudre brune est versée sur une plaque d'alu que l'on chauffe, on inhale la fumée aussi profondément que possible. Comme la came doit faire le détour par les poumons, son action se fait attendre pendant quelques minutes – c'est-à-dire une éternité. La griserie ne monte que lentement à la tête, le flash libérateur ne se produit pas. C'est un peu comme faire l'amour sans orgasme.

En outre, l'inhalation constitue pour moi une torture. Je suis asthmatique, mes poumons émettaient très vite des râles, chaque bouffée me transperçait tel un coup de couteau, déclenchait des nausées. Chaque nouvel échec dans mes tentatives de me piquer aggravait mon état d'agitation.

Ma tête bouillonnait d'images, de souvenirs d'une incroyable intensité, de moments merveilleux. Celui où, à l'âge de quatorze ans, j'ai appris à aimer le haschich parce que, subitement, je pouvais sentir la musique avec tout mon corps au lieu de me borner à l'entendre. Celui où, défoncé au LSD, j'attendais à un passage piétons, et l'alternance des feux tricolores a soudain déclenché dans mon cerveau de petites explosions lumineuses, me laissant bouche bée de stupéfaction. Mes amis se tenaient à côté de moi, et nous baignions dans une union magique. Souvenirs de mon premier shoot, aussi envoûtant que mon premier rapport sexuel : comment le mélange héroïne-cocaïne fit palpiter toutes mes cellules nerveuses puis finalement vibrer d'excitation mon corps entier, une sorte de gigantesque gong chinois de chair et d'os. Souvenir de l'apaisement total provoqué par l'héroïne, une sorte de Lenore[1] pour l'âme, qui t'enveloppe de sa douce chaleur comme la poche des eaux le fœtus. »

Cet homme dépeint très clairement quels véritables besoins et sentiments jaillissent lors des crises de manque d'un drogué. Mais le manque entraîne à son tour la panique qu'il faut combattre grâce à l'héroïne.

Parallèlement, le toxicomane cherche à manipuler son corps, à l'apaiser, par la drogue. Ce

1. Célèbre figure féminine du romantisme allemand. *(N. d. T.)*

mécanisme opère également dans la consommation de drogues légales, comme les médicaments psychotropes.

La dépendance à ces divers types de substances peut avoir des effets catastrophiques, précisément parce qu'elle barre le chemin aux véritables émotions et sentiments. La drogue peut certes avoir une action euphorisante qui stimule la créativité étouffée par la dureté de l'éducation, mais le corps ne tolère pas toute la vie que l'on reste étranger à soi-même. Nous avons vu, entre autres chez Kafka, que des activités créatrices comme l'écriture ou la peinture peuvent, pendant un certain temps, aider à survivre, mais ne suffiront pas à déverrouiller l'accès aux sources de son être, que les maltraitances ont fermé dans le jeune âge. Et il en sera ainsi tant que la personne craindra d'ouvrir les yeux sur sa propre histoire.

La vie de Rimbaud, on l'a vu, nous en donne un exemple parlant. Les drogues n'ont pu remplacer la nourriture affective dont il avait besoin, et son corps ne s'en laissa pas accroire quant à ses vrais sentiments. Si, cependant, il avait rencontré quelqu'un pour l'aider à percevoir sans réserves l'action destructrice de sa mère au lieu de s'en punir lui-même, sa vie aurait pu prendre un autre tour. Mais, les choses étant ce qu'elles étaient, toutes ses tentatives de fuite furent vouées à l'échec, et il se trouva irrésistiblement poussé à rentrer sans cesse chez sa mère.

La vie de Paul Verlaine s'acheva elle aussi très tôt : il mourut à l'âge de cinquante et un ans, dans la misère, parce que toute sa fortune était passée dans la drogue et l'alcool. Mais la cause profonde résidait, comme chez tant d'autres, dans le défaut de prise de conscience, dans sa soumission au précepte universellement admis de tolérer sans mot dire le contrôle et la manipulation (dont l'arme est souvent d'ordre financier) maternels. En fin de compte, Verlaine se fit entretenir par des femmes, des prostituées disait-on, alors que dans ses jeunes années il s'était bercé de l'espoir de se libérer en se manipulant lui-même au moyen de substances toxiques.

La drogue n'a pas toujours pour fonction de délivrer l'intéressé de la dépendance envers sa mère et de la coercition que cette dernière exerce. Parfois, elle correspond à une tentative de combler les carences de la mère. L'enfant n'a pas reçu d'elle la nourriture dont il avait besoin, et il n'a pas réussi davantage à la trouver plus tard. En l'absence de drogue, ce vide peut être littéralement ressenti comme une faim physique – la sensation d'avoir, à proprement parler, l'estomac creux. La première pierre de la toxicomanie est probablement posée tout au début de la vie, tout comme celle de la boulimie et des autres troubles alimentaires. Le corps notifie qu'il *a eu* absolument besoin de quelque chose, dans le passé, quand il était une minuscule petite créature. Or ce message est mal compris tant que les émotions demeurent hors circuit. La détresse de la personne sera, dans ces conditions, perçue à tort comme *actuelle*, et par suite toutes les tentatives de l'apaiser dans le présent se verront vouées à l'échec. Nos besoins d'aujourd'hui ne sont pas ceux de notre petite enfance et nous pouvons en satisfaire beaucoup dès lors qu'ils ne sont plus couplés, dans notre inconscient, avec ceux d'autrefois.

7.
Nous pouvons enfin ouvrir les yeux

Une femme m'a écrit que, tout au long de la thérapie qu'elle a suivie des années durant, elle s'est efforcée d'excuser le comportement de ses parents, qui lui avaient infligé de graves sévices corporels, parce que sa mère était manifestement psychotique. Cependant, plus elle se contraignait à l'indulgence, plus sa dépression s'aggravait. Elle se sentait emmurée dans une prison. Seule la peinture l'aidait à combattre ses idées de suicide et à se maintenir en vie. Elle fit une exposition, vendit plusieurs tableaux, et quelques marchands d'art lui donnèrent de grands espoirs. Dans sa joie, elle raconta tout cela à sa mère, qui se montra enchantée et déclara : « Tu vas gagner beaucoup d'argent et tu vas pouvoir ainsi t'occuper de moi. »

La lecture de ces lignes me rappela l'histoire d'une de mes connaissances, Clara. Elle m'avait raconté, comme en passant, que le jour où elle avait pris sa retraite, tout heureuse de voir s'ouvrir devant elle une « seconde vie », son père, qui était veuf mais toujours en excellente santé et un homme d'affaires entreprenant, lui avait dit : « Tu vas enfin avoir le temps de te consacrer à mes affaires. » Cette femme, qui toute sa vie s'était beaucoup plus occupée des autres que d'elle-même, ne s'était pas aperçue qu'elle se voyait imposer ainsi un nouveau et lourd fardeau. Elle m'avait rapporté l'anecdote en souriant, presque gaiement. Le reste de la famille pensait aussi que, maintenant qu'elle avait des loisirs, elle pourrait remplacer la secrétaire, qui venait de mourir après des années de bons et loyaux services (qu'aurait donc pu faire la pauvre Clara de son temps libre, si ce n'est se sacrifier pour son père ?) Mais, quelques semaines plus tard, j'appris que Clara était tombée malade et qu'on avait diagnostiqué un cancer du pancréas. Elle mourut peu après. Durant toute cette dernière période de sa vie, elle endura d'atroces souffrances. Je tentai à plusieurs reprises, mais en vain, de lui rappeler les paroles de son père. Comme elle l'aimait beaucoup, elle regrettait que son état ne lui permette pas de l'aider. Elle se demandait pourquoi il lui arrivait une chose pareille, elle qui n'avait pratiquement jamais été malade, dont tout le monde enviait la robuste santé. Clara était très ancrée dans les conventions sociales, et ignorait à peu près tout de ses vrais sentiments. Son corps n'eut donc d'autre choix que de lui adresser des messages, mais il ne se trouvait malheureusement personne, dans la famille, pour l'aider à les déchiffrer. Même ses enfants adultes n'étaient pas disposés à le faire, et n'en étaient d'ailleurs pas capables.

Dans le cas de ma correspondante, l'artiste peintre, il en allait autrement. Elle était parfaitement consciente de sa colère envers sa mère après la réaction de celle-ci à la vente fructueuse des tableaux. Quand la jeune femme rentra chez elle, toute sa joie s'était éteinte. Pendant plusieurs mois, elle fut incapable de peindre et retomba dans ses accès de dépression. Elle décida de ne plus rendre visite à sa mère ni aux amis qui prenaient le parti de celle-ci. Elle cessa de dissimuler à son entourage l'état de sa mère, commença à ouvrir son cœur et dès lors retrouva son dynamisme et son plaisir de peindre. Ses forces regagnées lui permirent, en retour, d'affronter l'entière vérité au sujet de sa mère et de se défaire peu à peu de son attachement envers elle, c'est-à-dire, entre autres, de la compassion et de l'espoir de parvenir un jour à la rendre heureuse et, du même coup, à l'aimer. Elle accepta de ne pouvoir aimer cette mère, en sachant, désormais, exactement pourquoi.

Ce genre d'histoires, il est vrai, se termine rarement aussi bien. Mais, j'en suis persuadée, cela deviendra de plus en plus fréquent si nous réussissons à reconnaître que nous n'avons nul devoir de gratitude envers des parents qui nous ont maltraités, encore moins celui de nous sacrifier pour eux. Ce serait, en fait, nous immoler à des fantômes, à des parents idéalisés. Pourquoi continuons-nous à nous sacrifier pour des fantômes ? Pourquoi demeurons-nous englués dans des relations qui nous rappellent d'anciens tourments ? Parce que nous espérons qu'un jour ça changera, pourvu que nous trouvions le mot juste, l'attitude appropriée, que nous sachions faire preuve de la compréhension nécessaire. Mais cela signifierait nous soumettre une fois de plus, comme il était de règle dans notre enfance, pour obtenir de l'amour. Nous savons aujourd'hui, à l'âge adulte, que nous avons été mystifiés, que nous n'avons reçu, en échange de nos efforts, qu'un semblant d'amour. Pourquoi, alors, nous obstinons-nous à escompter que des gens qui, pour quelque motif que ce soit, n'ont pu nous aimer finiront par le faire ?

Si nous réussissons à abandonner cet espoir, les attentes se dissiperont d'elles-mêmes, et nous lèverons le mensonge de notre prime enfance. Nous cesserons de croire que nous n'étions pas dignes d'être aimés. Nous n'étions pas en cause, le fond du problème était la situation de nos parents, ce qu'ils avaient fait des traumatismes de leur enfance, dans quelle mesure ils étaient ou non parvenus à les intégrer psychiquement, et cela, nous ne pouvons rien y changer. Tout ce que nous pouvons, c'est vivre notre vie et modifier nos attitudes. La plupart des thérapeutes pensent que ce dernier point permettrait d'améliorer les relations avec les parents, car, devant l'attitude plus mûre de leurs enfants adultes, ils seraient incités à leur témoigner davantage de respect. Je ne puis adhérer sans réserve à cette opinion : d'après mon expérience, les parents autrefois maltraitants répondent rarement à ce changement par des sentiments positifs et de l'admiration. Ils réagissent souvent, au contraire, par de la jalousie, des manifestations de frustration et le désir de voir leur fils ou leur fille redevenir comme avant, c'est-à-dire soumis, fidèle, toujours prêt à accepter d'être traité(e) avec mépris – soit, au fond, dépressif et malheureux. Beaucoup de parents prennent peur devant une prise de conscience chez leurs enfants adultes, et dans bien des cas l'amélioration des relations reste hors de question. Mais il existe aussi des exemples inverses.

Une jeune femme longtemps tourmentée par ses sentiments de haine finit par avouer à sa mère, la peur au ventre et le cœur battant : « Quand j'étais enfant, je n'aimais pas la mère que tu étais pour moi, je te détestais, sans même avoir le droit de le savoir. » Après avoir prononcé ces mots, elle se sentit soulagée, mais à sa stupéfaction sa mère – qui était consciente de ses torts – eut la même réaction. Au fond d'elles-mêmes, elles savaient toutes deux ce qu'elles éprouvaient, mais la vérité avait besoin d'être dite. À partir de cet instant, elles purent construire, en toute sincérité, une nouvelle relation.

Un amour imposé n'est pas de l'amour : cela conduit tout au plus à faire « comme si », à des rapports sans vraie communication, à un simulacre d'affection chargé de camoufler la rancune, voire la haine. Un tel amour n'aboutira jamais à une vraie rencontre. L'un des livres de Yukio Mishima s'intitule, de façon emblématique, *Confessions d'un masque.* Car comment un masque pourrait-il vraiment raconter ce qu'un être humain a vécu ? Ce qu'il raconte sous la plume de Mishima est purement intellectuel. Il ne montre que *les conséquences* des événements, mais les faits eux-mêmes et les émotions qui les accompagnent se dérobent à la conscience. Or ces conséquences, on le sait, se manifestaient sous forme de fantasmes morbides, pervers, un désir de mort pour ainsi dire abstrait – car les sentiments concrets du petit enfant emprisonné, des années durant, dans la chambre de sa grand-mère demeuraient inaccessibles à l'adulte.

Des relations qui ne reposent que sur une communication faussée par la présence d'un masque ne peuvent se transformer, elles restent ce qu'elles ont toujours été : une pseudo-communication. Une vraie relation n'est possible que lorsqu'on parvient des deux côtés à s'autoriser ses sentiments, à les vivre et à les exprimer sans crainte. Quand on y réussit, c'est merveilleux. Malheureusement, c'est rare, car on s'est familiarisé avec cette façade et ce masque, et la peur de les perdre fait obstacle, de part et d'autre, à un échange authentique.

Mais cet échange, précisément, pourquoi le chercher justement auprès de nos vieux parents ? Ils ne sont plus des partenaires au sens propre du terme. Notre histoire commune s'est achevée au moment où nous est né un enfant et où devient possible la discussion avec un ou une partenaire. La paix à laquelle tant d'êtres humains aspirent ne peut nous être donnée de l'extérieur. Beaucoup de thérapeutes estiment qu'on peut la trouver par le pardon, mais cette opinion est perpétuellement démentie par les faits. Les chrétiens, nous le savons, récitent souvent le « Notre Père ». Ils appellent au « pardon de [leurs] offenses » et ajoutent « … comme nous pardonnons à ceux qui nous ont offensés. » Ceci n'empêche pas certains prêtres, sous l'empire de la compulsion de répétition, d'abuser d'enfants et d'adolescents et de refouler le fait qu'ils commettent un crime… Ce faisant, ils reproduisent parfois le crime que leurs parents ont perpétré contre eux. Prêcher le pardon peut donc se révéler, en l'occurrence, non seulement hypocrite et inutile, mais aussi dangereux en dissimulant la compulsion de répétition.

Le seul moyen de nous en préserver est d'accéder à notre vérité, sous tous ses aspects. Si nous savons, aussi précisément que possible, ce que nos parents nous ont infligé, nous ne courons plus le danger de reproduire leurs forfaits. Dans le cas contraire, nous le faisons automatiquement et opposerons les plus vives résistances à l'idée que l'on a le droit, la faculté et l'obligation de se dégager de l'attachement infantile aux parents maltraitants si l'on veut devenir adulte et construire sa propre vie en paix. Nous devons nous débarrasser de l'état de confusion intérieure du petit enfant, qui résulte de son effort pour se résigner aux mauvais traitements et leur trouver un sens. En tant qu'adultes, nous pouvons nous en affranchir et aussi apprendre à saisir de quelle manière, dans les thérapies, les principes moraux entravent la guérison des blessures.

Quelques exemples nous permettront d'illustrer concrètement ces processus.

Une jeune femme, désespérée, se tient pour une ratée tant dans sa vie professionnelle que privée. Elle écrit :

« Plus ma mère me dit que je suis nulle, que je n'arriverai jamais à rien, plus je multiplie les échecs, dans tous les domaines. Malgré tout, je me refuse à détester ma mère, je veux faire la paix avec elle, afin de me libérer enfin de ma haine. Mais je n'y parviens pas. J'ai toujours l'impression qu'elle me persécute, comme si elle me haïssait. Je dois certainement me tromper. Que fais-je donc de travers ? Je sais cependant que si je n'arrive pas à lui pardonner, j'en souffrirai. Car ma thérapeute m'a dit que si je suis en guerre contre mes parents, c'est comme si j'étais en guerre contre moi-même. Je sais aussi qu'il ne faut pas pardonner si ça ne peut pas venir du fond du cœur, et je me sens complètement déboussolée car il y a des moments où je peux pardonner, où j'ai pitié de mes vieux parents, puis tout à coup j'explose de rage, je me révolte contre tout ce qu'ils m'ont fait, je ne veux plus les voir. J'ai surtout envie de vivre ma propre vie, d'avoir l'esprit tranquille et d'arrêter de penser constamment aux humiliations et aux coups – presque des tortures – qu'ils m'ont fait subir. »

Cette femme est convaincue que si elle prend ses souvenirs au sérieux et écoute la voix de son corps, cela revient à entrer en guerre avec ses parents, ce qui équivaudrait à être en guerre avec elle-même. Sa psy le lui a affirmé. Le résultat, on le lit dans ce texte : la patiente est incapable d'établir une distinction entre sa propre vie et celle de ses parents ; elle n'a plus aucune identité et ne peut se concevoir que comme une partie de ses parents. Comment une thérapeute en arrive-t-elle à tenir pareil discours ? Je l'ignore. Mais j'y perçois sa peur de ses propres parents. Rien d'étonnant à ce que sa patiente soit contaminée par cette peur et ce désarroi et qu'elle n'ose lever le voile sur l'histoire de son enfance, permettant enfin à son corps de vivre avec sa vérité.

Une autre histoire : une femme, très intelligente, m'écrit qu'elle ne veut pas porter sur ses parents un jugement global, mais voir les choses de façon nuancée, car si elle a été une enfant battue et abusée sexuellement, elle a aussi connu de bons moments. La thérapeute la confirme dans cette intention, lui conseille de mettre en balance les bons et les mauvais moments, et lui explique qu'en tant qu'adulte elle doit comprendre qu'il n'existe pas de parents parfaits, que tout le monde commet des fautes, etc. Seulement, la question n'est pas là. La tâche à accomplir, en l'occurrence, est de permettre à cette femme adulte de développer de l'empathie pour la fillette dont personne n'a vu la souffrance, l'enfant utilisée par ses parents à leur profit, et qui, en petite surdouée, a parfaitement accompli sa mission. Si elle devient capable de ressentir cette souffrance et d'accompagner l'enfant enfouie en elle, il ne sera plus question de lui demander de comptabiliser les bons et les mauvais moments : cela la replace dans le rôle de la petite fille qui cherche à satisfaire les désirs de ses parents, à les aimer, leur pardonner, évoquer les bons souvenirs, etc. C'est ce qu'autrefois elle a essayé, inlassablement, dans l'espoir de comprendre leurs messages et comportements contradictoires. Mais ce « travail » intérieur n'a fait qu'accroître son désarroi. Car comment aurait-elle pu comprendre que sa mère a élevé, contre ses propres sentiments, des barricades intérieures qui la rendent insensible aux besoins de son enfant ? Lorsque la femme adulte a saisi cela, elle ne devrait pas poursuivre les efforts désespérés de l'enfant, ni tenter de dresser un bilan objectif, le compte de l'actif et du passif. L'heure est venue pour elle d'agir selon ses propres sentiments, lesquels, comme tout ce qui est d'ordre émotionnel, sont forcément subjectifs : qu'est-ce qui m'a fait du mal dans mon enfance ? Que m'a-t-il été interdit de ressentir ?

Il ne s'agit pas de condamner en bloc les parents, mais de se placer du point de vue de l'enfant souffrant et qui n'a pas droit à la parole, de renoncer à un attachement que je qualifie de destructeur. Celui-ci se compose, comme je l'ai dit plus haut, d'un mélange de gratitude, de pitié, de refoulement, d'enjolivement de la réalité, ainsi que de nombreuses attentes, toujours vaines et vouées à le rester. Nous ne franchirons pas le chemin vers l'état adulte en faisant preuve de tolérance envers les cruautés dont nous avons été victimes, mais dans la reconnaissance de notre vérité et dans une empathie grandissante avec l'enfant maltraité. Il faut, pour le franchir, arriver à mesurer l'ampleur des dégâts laissés par les mauvais traitements dans toute la vie de l'adulte, la destruction de riches potentialités, les ravages causés dans la génération suivante par la transmission de ce poison. Ce tragique constat n'est possible que lorsque nous cessons de peser les bons et les mauvais côtés des parents maltraitants, car, sous prétexte d'une approche nuancée de la situation, cette démarche nous fait retomber dans la pitié et le déni des sévices. Je pense, quant à moi, qu'elle reflète les efforts autrefois accomplis par l'enfant, et que l'adulte n'en tire qu'un nouveau désarroi, des entraves à sa propre vie. Bien entendu, les femmes et les hommes qui n'ont jamais été battus dans leur enfance ni n'ont eu à subir des violences sexuelles n'ont pas à faire ce travail : ils peuvent goûter les joies de leurs bons sentiments en présence des parents, prononcer sans réserves le mot amour et ne sont pas obligés de se renier. Seuls les anciens enfants maltraités ont à porter ce fardeau, et ce notamment s'ils ne sont pas disposés à payer de leur santé la facture de cette automystification. On peut dire que c'est une règle dont j'ai la confirmation presque tous les jours.

Par exemple, une femme venue participer à un forum dit avoir lu sur le Net qu'il est impossible de guérir son mal-être si l'on coupe les ponts avec ses parents, car alors on en sera obsédé. Et c'est exactement ce qui lui arrive : depuis qu'elle a cessé de leur rendre visite, elle pense à eux jour et nuit, rongée de culpabilité en permanence. Ce n'est que trop facile à comprendre. Elle vit dans un état de panique parce que ces prétendus experts, qui diffusent sur l'Internet leur peur de leurs parents, n'ont fait qu'accroître la sienne. Il ressort de ces leçons de morale que l'individu n'a pas droit à sa propre vie, à ses sentiments et besoins personnels. On ne trouvera probablement guère d'autre son de cloche sur le Net, car il est le reflet de notre mentalité, imprégnée depuis des millénaires par le précepte : « Tu honoreras ton père et ta mère. » Ainsi, ajoute le texte biblique[1], « tu vivras longtemps ».

Les biographies d'écrivains présentées dans la première partie de ce livre montrent que ce n'est pas toujours le cas, en particulier chez les personnes qui furent des enfants très intelligents et sensibles. A contrario, une longue vie ne prouve pas que la menace recelée par le Quatrième Commandement est justifiée. Sans oublier qu'il faut aussi prendre en compte la qualité de la vie. Cela signifie, de la part des parents et grands-parents, prendre conscience de leurs responsabilités et non point honorer leurs aïeux aux dépens de leurs enfants et petits-enfants qu'ils battent, abusent sexuellement ou tourmentent, sans se poser la moindre question et prétendument pour leur bien. Dans bien des cas, des parents transfèrent sur leurs enfants le poids trop lourd des sentiments qu'ils portent à leurs propres parents. Il se peut donc qu'ils tombent malades si ces enfants, au moins extérieurement, se soustraient à leur fonction de substitut.

Les enfants et petits-enfants d'aujourd'hui ont le droit d'ouvrir les yeux, de ne pas oublier ce qu'ils ont ressenti quand ils étaient petits, de ne pas s'imposer la cécité. L'humanité l'a payé par des maux dont les causes, depuis des temps immémoriaux, sont restées cachées. Si les jeunes adultes ne participent plus à cette mise sous le

1. « Honore ton père et ta mère, afin que se prolongent tes jours sur la terre que te donne Yahvé ton Dieu » (Exode 20, 12). Voir aussi Deutéronome 5, 18.

boisseau, ils auront le bonheur de rompre l'engrenage de la violence et de l'automystification. Ils ne demanderont plus à leurs enfants de se sacrifier à leur place.

Lors d'une récente émission de télévision, on a présenté des enfants atteints de neuro-dermatite, maladie qui se manifeste par des démangeaisons sur tout le corps. Les spécialistes invités ont affirmé à l'unanimité que c'était incurable. Aucun n'a évoqué l'éventualité d'une origine psychique de ce prurit, en dépit du phénomène frappant que les enfants qui, à l'hôpital, se retrouvaient avec des compagnons d'infortune du même âge voyaient leur état s'améliorer, voire, dans certains cas, la guérison advenir. Ce simple fait m'incita à supposer, en tant que spectatrice, que ces rencontres donnaient au petit malade le sentiment réconfortant de n'être pas le seul être au monde affligé de ce symptôme incompréhensible.

Peu après avoir vu cette émission, je fis la connaissance de Véronique, qui avait contracté une neuro-dermatite au cours d'une thérapie et s'était aperçue, au bout d'un certain temps, que ce symptôme, précisément, lui permettait de se dégager de son attachement néfaste à son père. Véronique, la benjamine de cinq filles, avait été abusée sexuellement par ses sœurs, et se sentait constamment menacée de mort par les explosions de rage de sa mère, alcoolique. La fillette se berçait du vain espoir qu'un jour son père la sauverait de cet enfer. Sa vie durant, Véronique avait idéalisé son père, sans la moindre raison, bien qu'elle n'eût aucun souvenir susceptible de confirmer la haute opinion qu'elle avait de cet homme.

Il était lui aussi alcoolique, et ne manifestait pas le moindre intérêt pour sa fille. Cependant, Véronique, durant cinquante ans, resta fidèle à ses illusions. Mais au cours de sa thérapie, elle se mit à souffrir de fortes démangeaisons sitôt qu'elle avait affaire à des gens dont elle ne pouvait se faire comprendre et desquels elle attendait une aide.

Elle me raconta que ce phénomène était longtemps resté pour elle une énigme : pourquoi donc ces atroces démangeaisons, contre lesquelles elle ne pouvait rien faire, sinon se gratter furieusement. Dans ce cri de son corps se cachait, comme il se révéla plus tard, sa colère contre toute sa famille, mais surtout contre son père, qui n'avait jamais été présent pour elle, auquel elle avait néanmoins attribué en imagination un rôle de sauveur pour mieux supporter sa solitude au milieu de cette famille maltraitante.

Naturellement, le fait d'avoir nourri ce fantasme pendant cinquante ans augmentait encore sa colère. Mais Véronique finit par découvrir, avec l'aide de sa thérapeute, que ces démangeaisons apparaissaient chaque fois qu'elle cherchait à réprimer un sentiment, et ne lui laissaient aucun répit jusqu'à ce qu'elle devienne capable de l'accepter et de le vivre. Grâce à la mise au jour de ses sentiments, elle finit par s'apercevoir, de plus en plus clairement, qu'elle avait fantasmé une image paternelle qui ne reposait sur aucun fondement. Ce même fantasme imprégnait toutes ses relations avec des hommes : l'attente que le père aimé la protège contre sa mère et ses sœurs et comprenne sa détresse. Bien entendu, cela n'arrivait jamais et ne pouvait arriver – pour tout regard extérieur, cela aurait été évident. Mais pour Véronique, cette vue réaliste des choses était totalement inconcevable, elle avait l'impression qu'admettre la vérité la ferait mourir.

C'est compréhensible, car son corps abritait l'enfant sans protection qui avait besoin, pour survivre, de l'illusion que son père lui viendrait en aide. Cependant, la Véronique d'aujourd'hui peut abandonner cette illusion, car elle n'est plus, comme autrefois, seule face à son destin. Désormais existe aussi en elle la partie adulte, capable de la protéger, de faire ce que le père n'a jamais fait : comprendre l'enfant en détresse et la préserver de l'abus. Elle en a maintenant la preuve dans sa vie quotidienne, puisqu'elle a enfin réussi à ne plus ignorer les besoins de son corps et à les prendre complètement au sérieux. Au bout d'un certain temps, les accès de prurit ont diminué, son corps se bornant à lui signaler par de légères démangeaisons que l'enfant avait besoin de son assistance. Bien qu'exerçant, dans son travail, d'importantes responsabilités, Véronique avait tendance à se lier à des gens qui, au fond, ne s'intéressaient pas à elle, et à les laisser la dominer totalement. Cela a duré jusqu'à ce qu'elle perce à jour le véritable comportement de son père, et sa façon de vivre a entièrement changé après la thérapie. Elle a trouvé en son corps un allié, qui sait comment lui venir en aide. C'est exactement ce que doit être, à mon avis, le but de toute thérapie.

Les résultats obtenus dans les cas évoqués ci-dessus, s'ajoutant aux diverses observations du même genre que j'ai faites ces dernières années, m'ont amenée à la conclusion que pour qu'une thérapie ait une issue positive, elle doit mettre de côté l'injonction moralisatrice du Quatrième Commandement, dont nous avons été imprégnés par notre éducation. Malheureusement, la morale de la pédagogie noire vient trop souvent soit prendre les commandes dès le départ, soit s'immiscer à un moment ou un autre dans le traitement, parce que le thérapeute ne s'est pas encore libéré de son emprise. Le Quatrième Commandement se trouve souvent associé aux principes de la psychanalyse. Même lorsque, pendant un certain temps, on a aidé le client à admettre enfin la maltraitance dont il a été victime, il s'entendra dire tôt ou tard que son père ou sa mère avaient aussi de bons côtés, qu'ils lui ont beaucoup donné enfant, et qu'adulte il doit s'efforcer de leur en être reconnaissant. Ces propos suffisent à déstabiliser à nouveau le client, car c'est précisément cet effort qui l'a conduit à refouler ses perceptions et ses sentiments – par ce même mécanisme que Kertész a décrit de façon si impressionnante dans son livre.

Laura a entrepris une psychothérapie qui lui a permis, pour la première fois, de lever le masque, de déceler que sa dureté était artificielle et de se confier à quelqu'un qui l'a aidée à trouver l'accès à ses sentiments, et aussi à se rappeler combien, dans son enfance, elle a eu soif de chaleur et de tendresse. La froideur de sa mère l'avait poussée à chercher, tout comme Véronique, le salut auprès de son père. À la différence de celui de Véronique, il s'intéressait à sa fille et jouait parfois avec elle, ce qui alimentait ses espoirs. Toutefois, bien que parfaitement au courant des brutalités de sa femme, le père de Laura laissait la petite entre ses mains, ne faisait rien pour la protéger et ne prenait pas ses responsabilités à son égard. Le pire, m'écrivait Laura, était qu'il avait éveillé en elle un amour qu'en fait il ne méritait pas. Cet amour, la jeune femme l'a conservé jusqu'à ce qu'elle contracte une maladie grave dont elle chercha à comprendre le sens avec l'aide de son thérapeute. Celui-ci, dans une première phase, lui apporta beaucoup, lui permit d'abattre le mur dressé en elle. Mais ensuite, il se mit, de plus en plus, à en édifier un autre, et ce à partir du moment où Laura commença à soupçonner son père d'inceste. Il parla soudain des désirs œdipiens de l'enfant, et ainsi l'embrouilla comme l'avait fait son père. Il la sacrifia sur l'autel de sa propre faiblesse et de ses souvenirs personnels refoulés. Au lieu de lui offrir l'empathie d'un témoin lucide, il lui présenta la théorie analytique.

Laura, qui avait beaucoup lu, perça à jour la manœuvre de fuite du thérapeute, mais comme sa relation avec son père n'avait pas été dénouée, elle reproduisit avec lui le même modèle. Elle continua à être reconnaissante aux deux hommes de ce qu'ils lui avaient apporté, se conformant par là à la morale traditionnelle, et, dans les deux cas, fut incapable de se dégager de son attachement infantile. De sorte que ses symptômes persistèrent, en dépit de la thérapie primale et corporelle qu'elle suivit ultérieurement. La victoire semblait rester à la morale, à laquelle les personnes supposées l'aider avaient sacrifié son histoire et sa souffrance. Mais elle réussit finalement, dans le cadre d'une thérapie de groupe, à se débarrasser de sa gratitude infondée, à percevoir, avec toutes leurs conséquences, les carences de son père dans son enfance, et à se rendre compte qu'il lui appartenait à présent de gérer sa vie.

Dès lors, ayant accédé à sa vérité, elle a littéralement mené une nouvelle vie, où s'est épanouie sa créativité. Elle savait à présent qu'elle ne courait plus aucun danger en s'avouant que son père était simplement un pauvre type, qui ne lui était jamais venu en aide parce qu'il n'en avait pas envie et avait besoin de se décharger sur elle de ses propres blessures pour ne jamais les ressentir. Le corps de Laura se trouva manifestement apaisé par cette prise de conscience, car la tumeur que les médecins voulaient absolument opérer régressa rapidement.

Dans l'une de ses précédentes thérapies, on lui avait proposé la méthode de la visualisation, qui à l'époque éveilla en elle de grands espoirs. Lorsqu'elle réussit un jour à évoquer une scène remontant à ses dix-sept ans, où ce père qu'elle idéalisait, en proie à une crise de jalousie, la roua de coups, sa thérapeute lui demanda de se le représenter maintenant en papa gentil et de remplacer l'image négative par une bonne. Cela aida effectivement Laura à continuer, pendant quelques années encore, à idéaliser son père. Pendant ce temps-là, son fibrome grossissait – jusqu'au moment où elle se décida à affronter la vérité que lui désignaient ses véritables souvenirs.

Diverses méthodes de psychothérapie emploient ce genre de techniques pour faire passer, selon la formule consacrée, des sentiments du négatif au positif. Cette manipulation aboutit d'ordinaire à un renforcement du refoulement qui, depuis son plus âge, permettait au client d'échapper à la douleur que lui causerait sa vérité (dont ses émotions réelles fournissaient un indice). Les succès dont peuvent se prévaloir ces techniques ne sont donc que de courte durée, et d'une nature très problématique. Car l'émotion négative initiale constitue un important signal du corps. Si l'on ignore son message, il devra en envoyer de nouveaux pour se faire entendre.

Les sentiments positifs provoqués artificiellement, non seulement se révèlent de courte durée, mais nous enlisent dans l'état d'enfant, avec ses attentes qui conduisent à imaginer qu'un jour nos parents montreront uniquement leurs bons côtés, qu'il ne nous faut jamais ressentir de la colère ou de la peur à leur égard. Or c'est précisément de ces attentes infantiles et illusoires que nous devons (et pouvons) nous délivrer si nous voulons devenir adultes et vivre dans notre réalité d'aujourd'hui. Cela implique également de nous autoriser à vivre nos émotions dites négatives et de parvenir à les transformer en sentiments porteurs de sens, puisque au lieu de chercher à les éliminer le plus vite possible, à présent nous déchiffrons leurs véritables causes. Les émotions vécues ne durent pas éternellement (elles sont néanmoins capables, en ce court laps de temps, de libérer des énergies bloquées). Elles ne se fixent dans le corps que lorsqu'elles sont bannies.

Des massages relaxants et toutes sortes de thérapies corporelles peuvent apporter temporairement un grand soulagement, en libérant les muscles et les tissus conjonctifs de la pression des émotions refoulées, en diminuant les tensions, ce qui permet d'apaiser la douleur. Mais cette pression peut resurgir plus tard si les sources de ces émotions doivent demeurer ignorées parce que la peur du châtiment du petit enfant reste encore très vivace en nous, et que, par conséquent, nous craignons de fâcher les parents ou leurs substituts.

Les exercices, si souvent conseillés, de « défoulement » consistant à se purger de sa colère, par exemple en tapant sur des coussins ou sur un punching-ball, se révèlent eux aussi d'une efficacité douteuse tant que l'on s'astreint à épargner les personnes à l'origine de cette colère. Laura a pratiqué nombre de ces exercices, avec des résultats toujours temporaires. C'est seulement lorsqu'elle a été prête à percevoir toute l'étendue de la déception que lui causait son père et à ressentir non seulement de la rage, mais aussi sa souffrance et sa peur, que son utérus s'est, comme de lui-même, délivré de son importune tumeur.

III

LE CORPS NE SE NOURRIT PAS QUE DE PAIN

Un cas d'anorexie

INTRODUCTION

« Parce que je n'ai pas trouvé d'aliment qui me plaise.
Si j'en avais trouvé, crois-moi, je n'aurais pas fait de manières et je me serais rempli la panse comme toi et tous les autres. »

Franz Kafka, *Un champion de jeûne*

Le traitement de l'anorexie est le domaine où la morale célèbre ses plus grands triomphes. Il est presque de règle que l'on y renforce les sentiments de culpabilité par des exhortations, plus ou moins directes, du genre : « Mais vois donc comme tu rends tes parents malheureux, combien tu les fais souffrir ! » Son message premier – le sens du refus de s'alimenter – est ici totalement ignoré. Or l'anorexie est un exemple frappant de la manière dont le corps tire un signal d'alarme, avertit le malade de sa vérité.

Beaucoup d'anorexiques pensent : « Je dois aimer et honorer mes parents, tout leur pardonner, les comprendre, avoir des pensées positives, apprendre à oublier. Je dois faire ceci et cela, et ne dois en aucun cas montrer ma détresse. »

Mais alors va se poser la question : est-ce que j'existe encore si je m'efforce de supprimer mes sentiments et m'interdis de savoir ce que j'éprouve et veux vraiment, ce dont j'ai réellement besoin, et pourquoi ? Je peux certes exiger de moi de hautes performances, dans mon travail, dans le domaine sportif, dans ma vie quotidienne. Mais si je me dicte des sentiments (avec ou sans recours à l'alcool, à la drogue ou à des produits pharmaceutiques), je me retrouverai tôt ou tard confrontée aux conséquences de cette automystification. De mon moi ne restera qu'un masque et je ne saurai même plus qui je suis vraiment. Car la source de ce savoir se trouve dans mes vrais sentiments, en accord avec mes expériences. Et le gardien de celles-ci, c'est mon corps, sa mémoire.

Nous ne pouvons pas nous aimer, nous respecter, nous comprendre si nous ignorons les messages de nos émotions, ce que, par exemple, veut nous dire la colère. Pourtant, toute une série de mesures et de techniques « thérapeutiques » ont pour but la manipulation de ces émotions. On nous indique doctement comment stopper le chagrin et générer du plaisir. Des personnes souffrant de gravissimes symptômes physiques se pressent dans les cliniques où l'on dispense ce genre de conseils, dans l'espoir de parvenir ainsi à se libérer de leur torturante rancœur contre leurs parents.

Cela peut réussir momentanément et leur apporter un soulagement, car ces bons résultats leur vaudront l'approbation de leur thérapeute.

Ils se sentiront alors acceptés et aimés – comme un enfant sage qui se plie aux méthodes éducatives de sa mère. Mais au bout d'un certain temps, le corps va signaler par une rechute qu'il n'a pas été écouté.

On assiste au même genre d'errements dans l'approche des symptômes des enfants hyperactifs. Comment veut-on les intégrer dans la famille si on considère, par exemple, que leur trouble est d'ordre génétique, ou encore qu'il s'agit de graves écarts de conduite dont il faut venir à bout par de strictes mesures éducatives ? L'une et l'autre interprétation passent à côté des vraies causes de l'agitation des enfants. Mais si nous sommes prêts à voir que ces émotions ont leur source dans la réalité, sont des réactions à des carences, des mauvais traitements ou, plus précisément, à l'absence d'une communication nutritive, nous ne verrons plus en eux des petits diables turbulents, mais des enfants qui souffrent et n'ont pas le droit de savoir pourquoi.

Si *nous* sommes autorisés à lever le voile, nous pourrons nous venir en aide, et à eux aussi. Peut-être les uns comme les autres, petits et grands, craignons-nous moins nos émotions, la douleur, la peur, la colère que la révélation de ce que nos parents nous ont infligé.

La plupart des thérapeutes adhèrent au devoir (moral) de s'abstenir, en toutes circonstances, d'accuser les parents. Seulement, cela conduit à ignorer délibérément les causes d'une maladie et, par voie de conséquence, les possibilités de traitement. Les neurosciences ont mis en évidence, voilà déjà quelques années, que le manque, dans les premiers mois et jusqu'à la troisième année de la vie, d'une bonne et sécurisante relation avec la mère laisse des traces décisives dans le cerveau et entraîne des troubles importants. Il serait grand temps que les thérapeutes en formation soient informés de ces découvertes. L'influence nocive de leur éducation traditionnelle s'en trouverait peut-être quelque peu atténuée. C'est souvent, en effet, notre mode d'éducation – que j'ai désigné sous le nom de pédagogie noire – qui nous a interdit de remettre en question les agissements de nos parents. La morale conventionnelle, les prescriptions religieuses, sans compter certaines théories psychanalytiques, contribuent à ce que même certains pédothérapeutes hésitent à mettre en cause clairement la responsabilité des parents. Ils craignent que les sentiments de culpabilité qui pourraient en découler ne nuisent à l'enfant.

Je suis convaincue du contraire. Dire la vérité peut aussi avoir une fonction d'éveil du moment que l'on assure un accompagnement. Le thérapeute ne peut, cela va de soi, changer les parents de l'enfant « perturbé », mais il peut grandement contribuer à l'amélioration de leurs relations avec leur fils ou leur fille s'il leur transmet les connaissances nécessaires. Il leur ouvrira par exemple l'accès à un nouveau vécu en leur expliquant ce que signifie une communication *nutritive* et en les aidant à la pratiquer. Dans bien des cas, les parents ne la refusent pas à leur enfant intentionnellement, mais parce qu'eux-mêmes n'ont pas reçu dans leurs jeunes années ce témoignage d'attention et ne savent même pas qu'il existe. Ils peuvent apprendre avec leur enfant cet art de la communication signifiante, mais à condition que celui-ci n'ait plus peur, c'est-à-dire bénéficie du complet soutien de son thérapeute, libéré de la pédagogie noire.

Avec l'assistance d'un témoin lucide – en la personne du thérapeute –, un enfant hyperactif ou souffrant de quelque autre trouble peut être encouragé à *sentir* son inquiétude au lieu de la mettre en acte, et à faire connaître ses sentiments à ses parents en les verbalisant au lieu de les craindre et de les déconnecter. Les parents apprennent ainsi *de leur enfant* que l'on peut éprouver des sentiments sans avoir à redouter une catastrophe, et qu'au contraire on y puisera souvent de la force, avec la création d'une confiance mutuelle.

Je connais une mère qui, en fait, doit à son enfant d'avoir réussi à se libérer de son attachement destructeur à ses propres parents. Elle avait beau suivre une thérapie depuis des années, elle s'efforçait obstinément de voir les bons côtés de ses parents, qui l'avaient gravement maltraitée dans son enfance. Elle souffrait beaucoup de l'hyperactivité et des explosions d'agressivité de sa petite fille, qui était sous traitement médical depuis sa naissance. Les années s'écoulaient mais la situation demeurait inchangée : elle emmenait son enfant chez le médecin, lui faisait prendre les médicaments prescrits et se rendait régulièrement à ses propres séances de psychothérapie. Quant à ses parents, elle n'avait absolument pas conscience qu'ils pouvaient être à l'origine de ses souffrances et elle les imputait uniquement à sa fille. Jusqu'au jour où, finalement, auprès d'un nouveau thérapeute, le verrou sauta, et elle put enfin donner libre cours à sa colère contre ses parents, contenue depuis trente ans. Alors survint un miracle qui en réalité n'en était pas un : en l'espace de quelques jours, sa fille commença à jouer normalement, ses symptômes disparurent, elle se mit à poser des questions et obtint des réponses claires. C'était comme si la mère émergeait d'un épais brouillard et, après tout ce temps, devenait enfin capable de percevoir son enfant. Si l'on n'en fait pas la cible de ses projections, un enfant peut jouer tranquillement, n'a pas besoin de s'agiter comme un diable. Il n'a plus, en effet, la mission impossible de sauver sa mère ou du moins, à travers ses « troubles », de lui servir d'exutoire.

La véritable communication repose sur des faits, elle permet d'échanger sentiments et pensées. En revanche, la communication fallacieuse repose sur la déformation des faits et la mise en accusation d'autrui pour évacuer nos émotions indésirables, lesquelles, en réalité, concernent les parents. La pédagogie noire n'a longtemps connu que ce type de rapports dévoyé. Cette forme de manipulation était encore omniprésente il y a peu, mais il existe évidemment des exceptions, comme en atteste l'exemple suivant.

Marie, sept ans, refuse d'aller à l'école parce que l'institutrice l'a battue. Sa mère, Flora, est désespérée, elle ne peut tout de même pas l'y traîner de force. Elle n'a jamais été battue. Elle va voir l'institutrice et lui demande de présenter ses excuses à l'enfant. La dame se hérisse : Où irions-nous si le maître devait s'excuser auprès de l'élève ? La petite Marie, affirme-t-elle, a mérité les coups parce qu'elle ne l'a pas écoutée quand elle lui a fait une réflexion. Flora répond calmement : « Un enfant qui, à un moment donné, ne vous écoute pas, a peut-être déjà peur de votre voix ou de l'expression de votre visage. Le battre n'aboutira qu'à augmenter sa peur. Au lieu de la frapper, vous devriez lui parler, gagner sa confiance et, de cette manière, apaiser sa tension et son angoisse. »

Soudain, les yeux de l'institutrice s'emplissent de larmes, elle se recroqueville sur sa chaise et murmure : « Dans mon enfance, je n'ai connu que les coups, personne ne me parlait. J'entends encore ma mère hurler : "Tu ne m'écoutes jamais, qu'est-ce que je vais faire de toi ?" »

Flora est bouleversée. Elle est venue avec l'intention de dire que les châtiments corporels à l'école sont interdits depuis longtemps et qu'elle va porter plainte. Et voici qu'elle se trouve devant un être humain vulnérable. Finalement, les deux femmes réfléchissent ensemble aux moyens de rendre confiance à la petite Marie. L'institutrice propose à présent d'elle-même de s'excuser auprès de l'enfant, ce qu'elle fait peu après. Elle lui explique qu'elle n'a plus rien à craindre, car de toute manière il est interdit de battre les élèves et qu'elle a commis un acte répréhensible. Marie était donc parfaitement en droit de se plaindre, car, même aux professeurs, il peut arriver de mal agir.

Depuis, Marie va de nouveau à l'école avec plaisir, elle s'est même prise de sympathie pour cette femme qui a eu le courage de reconnaître sa faute. La petite a sans doute bien retenu que les émotions des grandes personnes dépendent de leur propre histoire et non du comportement des enfants. Et ceux-ci n'ont pas à se sentir coupables lorsque leur conduite et leur impuissance déclenchent des émotions fortes en l'adulte. Même si ce dernier essaie de leur en imputer la faute (« je t'ai battu(e) *parce que tu...* »).

À la différence de beaucoup de gens, un enfant qui a vécu l'expérience de Marie ne se sentira pas responsable des émotions d'autrui, mais uniquement des siennes.

Le journal fictif d'Anita Fink

Je reçois un grand nombre de lettres et de journaux intimes, parmi lesquels beaucoup portent témoignage de cruelles maltraitances subies dans l'enfance. Plus rarement sont évoquées les thérapies qui ont permis à l'auteur des écrits en question de liquider les séquelles des traumatismes de son enfance. Certains de mes correspondants me prient de rendre compte de leur histoire, mais généralement j'hésite à le faire, car j'ignore si, dans quelques années, l'intéressé aura toujours envie de se reconnaître dans un livre. Mais, dans l'un de ces cas, j'ai pris le parti d'écrire une fiction qui repose sur des faits authentiques. Une jeune femme, que je nomme Anita Fink, décrit ici le déroulement de la thérapie qui l'a aidée à se libérer de son anorexie – un problème de santé parmi les plus graves. Je sais qu'un grand nombre de gens portent en eux des souffrances de même origine, mais n'ont pas eu la chance de trouver un traitement qui a réussi.

De façon générale, même parmi les médecins, on ne conteste plus aujourd'hui que l'anorexie est une affection psychosomatique, que le psychisme est « concerné » quand une personne (le plus souvent jeune) maigrit au point de mettre sa vie en danger. Mais, la plupart du temps, on ne parviendra à éclairer l'état psychique de ces malades que d'une lumière diffuse. C'est encore, à mon avis, dans le souci de ne pas transgresser le Quatrième Commandement.

J'ai déjà évoqué ce problème dans *Libres de savoir,* mais je me suis limitée, en l'occurrence, à m'élever contre les pratiques médicales en usage, qui se fixent pour but la prise de poids et laissent dans l'ombre les causes de la maladie. Je ne poursuivrai pas ici cette polémique, préférant illustrer par l'histoire d'une jeune femme les facteurs psychiques menant à l'anorexie et ceux qui permettent d'en venir à bout.

Le « champion de jeûne » de Kafka explique à la fin de sa vie qu'il a cessé de se nourrir parce qu'il n'a pu trouver d'aliment qui lui plaise. Anita aurait pu prononcer cette même phrase, mais seulement après sa guérison, car c'est à ce moment qu'elle a su quelle était la nourriture dont elle avait besoin, dont elle manquait depuis l'enfance et qu'elle recherchait : la véritable communication émotionnelle, sans mensonges, sans pseudo-« soucis », sans sentiments de culpabilité ni reproches, sans mises en garde, sans croquemitaine, sans projections. Une communication semblable à celle qui, lorsque les conditions sont favorables, peut s'établir entre une mère et son enfant désiré. Lorsque cet échange n'a pas eu lieu, que le petit être a été abreuvé de mensonges, que les mots et les gestes ont uniquement servi à maquiller le rejet, la haine, le dégoût, l'aversion, alors l'enfant se refuse à profiter de cette « nourriture », s'en détourne et peut, plus tard, devenir anorexique, sans savoir de quel aliment il a besoin. Il n'en a pas l'expérience et ne sait donc pas qu'il existe.

L'adulte peut certes en avoir un vague pressentiment et se précipiter dans des orgies alimentaires, s'empiffrer, au petit bonheur, de tout et n'importe quoi, dans sa quête de ce dont il a besoin mais qu'il ne connaît pas. Il devient ainsi boulimique. Il ne veut pas renoncer, il veut manger, manger sans fin, sans aucune restriction. Mais comme, à l'instar de l'anorexique, il ignore ce dont il a besoin, il n'est jamais rassasié. Il veut être libre, avoir le droit de tout manger, ne se plier à aucune contrainte, mais, en réalité vit sous le joug de ses orgies alimentaires. Pour s'en libérer, il lui faudrait pouvoir parler de ses sentiments à quelqu'un, se sentir enfin écouté, compris, pris au sérieux, réaliser qu'il n'a plus besoin de se cacher. Alors, il saurait enfin quel aliment il a cherché toute sa vie.

Le champion de jeûne de Kafka n'a pas trouvé cet aliment, car Kafka lui-même ignorait de quoi il s'agissait, faute d'avoir connu la véritable communication dans son enfance. Mais il souffrait indiciblement de ce manque et ses ouvrages – *Le Château, Le Procès, La Métamorphose* – ne décrivent rien d'autre que des communications tronquées. Dans toutes ses histoires, les questions ne sont jamais écoutées : dans les réponses, tout est étrangement déformé, l'individu se sent totalement isolé, incapable de se faire entendre.

Anita Fink a longtemps partagé le même sort. L'origine de ses troubles résidait dans son aspiration, jamais exaucée, à un véritable contact avec ses parents et ses partenaires. En s'affamant, elle manifestait ce manque et la guérison devint possible lorsque la jeune fille put constater par expérience qu'il existait des gens désireux de la comprendre. En septembre 1997, après avoir été hospitalisée, Anita, alors âgée de seize ans, commença à écrire son journal.

> Ils ont réussi, j'ai pris du poids et dans mon cœur est né un peu d'espoir. Non, ce n'est pas eux qui ont réussi, dès le début ils m'ont tapé sur les nerfs, dans cet horrible hosto c'était encore pire qu'à la maison : tu dois ci et tu dois ça, tu ne peux pas ceci et pas cela, qu'est-ce que tu t'imagines, pour qui te prends-tu, nous sommes là pour t'aider, mais il faut que tu y croies et nous obéisses, sinon personne ne pourra rien pour toi. Merde alors, qu'est-ce qui vous permet tant d'arrogance ? Comment pourrai-je guérir si je me plie à votre stupide réglementation et fonctionne comme une pièce de votre machine ? Ce serait ma mort et je ne veux pas mourir ! Vous affirmez que si, mais c'est un mensonge, c'est débile. Je veux vivre, mais pas comme on me le prescrit, c'est alors que je serais en danger de mort. Je veux vivre en étant la personne que je suis. Mais on ne me laisse pas. Personne ne me le permet. Tout le monde a des projets pour moi. Ils veulent décider pour moi et étouffent ma vie. J'aurais voulu le leur dire, mais comment ? Comment peut-on dire une chose pareille à des gens qui viennent dans cet établissement s'acquitter de leur corvée, ne

veulent, dans leurs comptes-rendus, faire état que de leurs succès (« Anita, tu as déjà mangé la moitié de ton petit pain ? ») et, le soir, se réjouissent de quitter enfin les squelettes et de rentrer à la maison écouter de la bonne musique.

Personne ne veut m'écouter. Le gentil docteur fait mine d'être venu me voir dans ce seul but, mais ses véritables intentions semblent toutes différentes, ça transparaît nettement dans sa façon de me prodiguer de bonnes paroles, de vouloir me donner goût à la vie (comment fait-on ça ?) de m'expliquer qu'ici tout le monde veut m'aider, que mon état de santé s'améliorera sûrement si je prends confiance. Eh oui, on me révèle, ici, que je suis malade parce que je ne fais confiance à personne ! Puis il regarde sa montre et pense probablement à la brillante conférence qu'il pourra donner ce soir, au séminaire, sur mon cas : il a trouvé la clé de l'anorexie, c'est la confiance. Qu'avais-tu en tête, espèce d'imbécile, en me prêchant la confiance ? Ils me la prêchent tous, mais ne la méritent pas ! Tu fais semblant de m'écouter, mais en réalité tu veux uniquement m'en imposer, me plaire, m'éblouir ; tu veux que je t'admire et par-dessus le marché, ce soir, au séminaire, tirer profit de moi, raconter à tes confrères avec quelle habileté tu sais amener une fille intelligente à faire confiance.

Tu es vaniteux comme un paon, mais moi, je vois enfin clair dans ton jeu, je ne marche plus. Si je vais mieux, ce n'est pas à toi que je le dois, mais à Nina, la femme de ménage portugaise, qui parfois, le soir, est restée auprès de moi et m'a vraiment écoutée, a critiqué le comportement de ma famille alors que moi je ne l'osais pas encore, et m'a permis ainsi de m'en indigner. Grâce aux réactions de Nina à ce que je lui racontais, j'ai commencé à réaliser et à ressentir l'atmosphère dans laquelle j'avais grandi, la froideur de mes parents et ma solitude, l'absence totale de contacts humains. Où pourrais-je puiser de la confiance ? Ce sont mes conversations avec Nina, et elles seules, qui m'ont ouvert l'appétit, et je me suis mise à manger. J'avais appris que la vie avait quelque chose à m'offrir – une vraie communication, ce dont je rêvais depuis toujours. On m'avait obligée à absorber une nourriture dont je ne voulais pas parce qu'elle n'en était pas une, mais juste la froideur, la bêtise et l'angoisse de ma mère. Par mon anorexie, je fuyais cette nourriture empoisonnée, je sauvais ma vie, mon besoin de chaleur, de compréhension, de paroles et d'échanges. Il y a, de par le monde, d'autres Nina, ce que je recherche existe. À présent j'en suis sûre. Simplement, pendant toutes ces années, il m'avait été interdit de le savoir.

Avant de rencontrer Nina, j'ignorais qu'il existe des gens différents de ceux de ma famille et mon école. Ils me paraissaient tous si normaux, et pour moi inaccessibles. Pour eux tous, j'étais bizarre, incompréhensible, le vilain petit canard. Nina, elle, ne me trouvait pas du tout bizarre. Ici, en Allemagne, elle fait des ménages, mais au Portugal elle avait commencé des études. Elle a dû les interrompre pour des raisons financières, parce que, peu après son bac, elle a perdu son père et a été obligée de travailler. Quoi qu'il en soit, elle a su me comprendre. Pas parce qu'elle a été à l'Université, ça n'a rien à voir. Mais elle m'a beaucoup parlé d'une de ses cousines, qui, pendant son enfance, l'écoutait et la prenait au sérieux. Aujourd'hui, elle est capable d'en faire autant pour moi, sans le moindre effort et sans aucun problème. Pour elle, je ne suis pas une étrangère, bien qu'elle ait grandi au Portugal et moi en Allemagne. N'est-ce pas stupéfiant ? Et moi, ici, dans mon pays, je me sens étrangère, parfois même considérée comme une lépreuse, uniquement parce que je ne veux pas être ni devenir la femme que l'on veut faire de moi.

Je le démontre par mon anorexie. Regardez-moi ! Mon aspect vous répugne ? Tant mieux, ça vous force à voir qu'il y a un problème, ou chez moi ou chez vous. Vous détournez les yeux, vous pensez que je suis folle. Ça me fait mal, bien sûr, mais être des vôtres serait bien pire. Si je suis folle, c'est à ma manière : je me suis écartée de vous parce que je refuse de m'adapter à vous et de trahir mon être. Je veux savoir qui je suis, pour quoi je suis venue au monde, pourquoi à cette époque, pourquoi en Allemagne du Sud, pourquoi dans cette famille, avec des parents qui ne comprennent rien à mon caractère et ne peuvent m'accepter. Qu'est-ce que je fiche sur cette terre ?

Depuis mes conversations avec Nina, j'ai le bonheur de n'avoir plus à cacher toutes ces questions derrière l'anorexie. Je veux chercher une voie qui me permette de trouver des réponses à mes interrogations et de vivre en accord avec moi-même.

3 novembre 1997

Je suis sortie de l'hôpital, ayant atteint le poids minimum requis. Ils n'en demandent pas plus. En dehors de moi et de Nina, personne ne sait le pourquoi de la chose. Ces gens sont convaincus que leur programme alimentaire est à l'origine de l'amélioration, comme ils disent, de mon état. Tant mieux pour eux... Moi, en tout cas, je suis contente d'être dehors. Mais maintenant ? Il faut que je me cherche une chambre, je ne veux pas rester à la maison. Maman se fait de la bile comme toujours. Elle a mis toute sa vitalité dans ses inquiétudes pour moi, qui me tapent sur les nerfs. Si elle continue comme ça, je crains d'être obligée de recommencer à ne pas manger. La façon dont elle me parle me coupe l'appétit. Je sens son angoisse, je voudrais l'aider, et manger pour qu'elle cesse de trembler que je re-maigrisse, mais je ne supporterai pas longtemps toute cette comédie. Je ne vais quand même pas manger pour que ma mère n'ait pas peur que je perde du poids ! Je veux manger par plaisir. Mais la manière dont elle se comporte envers moi me gâche tout, ce plaisir-là comme les autres. Systématiquement. Quand je veux voir Monique, elle me dit qu'elle est sous l'influence de drogués. Quand je passe un coup de fil à Klaus, elle dit que c'est un coureur et qu'il lui paraît louche. Quand je parle à Tante Anne, je vois qu'elle est jalouse parce que je suis plus expansive avec sa sœur qu'avec elle. J'ai le sentiment de devoir régler et ratatiner ma vie pour éviter à ma mère de flipper, pour qu'elle se sente bien et que moi, finalement, je n'existe plus. Que serait-ce d'autre, en fait, qu'une anorexie psychologique ? Maigrir psychiquement au point qu'il ne reste plus rien de vous afin de tranquilliser Maman et qu'elle n'ait plus peur ?

20 janvier 1998

J'ai loué une chambre. Je suis encore tout étonnée que mes parents me l'aient permis. Ça n'a pas été sans résistance, mais avec l'aide de Tante Anne j'ai réussi à avoir gain de cause. Au début, j'étais tout heureuse d'avoir enfin la paix, de ne plus avoir maman sur le dos du matin au soir, d'organiser moi-même mon emploi du temps. J'étais vraiment heureuse, mais ça n'a pas duré longtemps. Subitement, je me suis mise à ne plus supporter ma solitude, l'indifférence de ma logeuse me paraissait encore pire que la permanente tutelle de maman. J'avais si longtemps aspiré à la liberté, et maintenant que je l'avais, elle m'effrayait. Que je mange ou pas, quoi et à quelle heure, ma logeuse, Mme Kort, s'en fiche éperdument, et cette indifférence m'était presque insupportable. Je m'accablais de reproches : que veux-tu en réalité ? Au fond, toi-même tu ne le sais pas. Si on s'intéresse à ton comportement alimentaire, ça t'agace, et si on ne le fait pas, il te manque quelque chose. Il est difficile de venir à ta rencontre parce que tu ne sais pas ce que tu veux.

J'ai retourné tout ça dans ma tête pendant une demi-heure. Puis j'ai soudain entendu la voix de mes parents – elle résonnait encore à mes oreilles. Et je m'interrogeais : avaient-ils donc raison, est-il exact que je ne sais pas ce que je veux ?

Ici, dans cette chambre vide où personne ne me dérangeait, ne m'empêchait de dire ce que, du fond du cœur, je souhaite vraiment, où personne ne m'interrompt, ne me critique et ne me déstabilise, j'ai essayé de découvrir ce que je ressens vraiment, ce dont j'ai besoin. Mais au début, je ne trouvais pas les mots. J'avais la gorge nouée, mes yeux se sont remplis de larmes et j'ai éclaté en sanglots. C'est seulement après avoir pleuré un long moment que la réponse est venue, comme d'elle-même : tout ce que je veux, c'est qu'on m'écoute, me prenne au sérieux, cesse de vouloir me dicter constamment ma conduite, de me critiquer, de me rejeter. Je voudrais me sentir aussi libre avec vous, Papa et Maman, qu'avec Nina. Elle ne m'a jamais dit que je ne sais pas ce que je veux. Et d'ailleurs, en sa présence, je le savais. Mais votre façon de me faire la leçon m'intimide, me bloque. Du coup, je ne sais pas comment m'exprimer, ni comment je devrais être pour que vous soyez contents de moi, pour que vous puissiez m'aimer. Et si je réussis ce tour de force, ce que je recevrai, sera-ce vraiment de l'amour ?

14 février 1998

Lorsque je vois à la télévision des parents hurler de joie parce que leur enfant a remporté une médaille d'or aux Jeux olympiques, je frissonne et me demande : qui donc ont-ils aimé pendant vingt ans ? Le garçon qui a investi toutes ses forces dans son entraînement pour vivre enfin le moment où ses parents seront fiers de lui ? Mais se sent-il vraiment aimé ? Seraient-ils pleins de cette ambition insensée s'ils l'aimaient réellement, et lui, aurait-il trouvé si nécessaire de recevoir une médaille d'or s'il était sûr de l'amour de ses parents ? Qui donc aimaient-ils ? Le médaillé d'or ou leur enfant, qui a peut-être souffert d'un manque d'amour ? J'ai vu à la télévision l'un de ces champions fondre en larmes, avec des spasmes de tout son corps, à l'instant où il a appris sa victoire. Ce n'étaient pas des larmes de joie, on le sentait convulsé de douleur – mais lui n'en était sans doute pas conscient.

5 mars 1998

Je ne veux pas être telle que vous me voulez. Mais je n'ai pas encore le courage d'être telle que je le voudrais, car je souffre toujours de votre rejet et de la solitude que je ressens auprès de vous. Mais ne suis-je pas tout aussi seule quand je m'efforce de vous plaire ? Car c'est trahir mon moi. Quand, il y a quinze jours, Maman est tombée malade et a eu besoin de mon aide, j'ai été presque contente d'avoir un prétexte pour rentrer à la maison. Mais très vite je n'ai plus supporté sa façon de s'occuper de moi. Je ne peux m'empêcher d'y voir toujours de l'hypocrisie. Elle prétend veiller sur moi, et ainsi me devient indispensable. Je vis cela comme une tentative de séduction, elle essaie de me faire croire qu'elle m'aime, mais si c'était le cas, ne sentirais-je pas cet amour ? Je ne suis tout de même pas tordue, quand quelqu'un a de l'affection pour moi, me laisse parler, s'intéresse à ce que je dis, je m'en rends compte. Mais Maman me donne l'impression de vouloir uniquement que je l'aime et m'occupe d'elle. Et par-dessus le marché, elle cherche à me faire croire que c'est l'inverse. C'est du chantage ! Peut-être le pressentais-je déjà quand j'étais petite, mais je ne pouvais pas le dire, je n'aurais même pas su comment. C'est maintenant seulement que j'en ai pleinement conscience.

D'un autre côté, elle me fait de la peine, car elle aussi a soif de relations humaines. Mais elle est encore moins capable que moi de s'en rendre compte et de le montrer. Elle est comme emmurée, et elle doit se sentir si impuissante dans cet enfermement qu'elle a un besoin constant de rétablir son pouvoir, particulièrement à mon égard.

Et voilà, une fois de plus j'essaie de la comprendre. Quand vais-je enfin arrêter, cesser de me faire la psychologue de ma mère ? Je la cherche, je veux la comprendre et venir à son secours. Mais c'est peine perdue. Elle ne veut pas qu'on l'aide, elle ne veut pas qu'on touche à sa cuirasse, elle semble n'avoir besoin que de pouvoir. Et j'ai décidé de ne plus entrer dans son jeu. J'espère y réussir.

Avec Papa, c'est une autre histoire. Il règne par son absence. Il se dérobe sans relâche, rend tout contact impossible. Même quand j'étais toute petite et qu'il jouait avec mon corps, il ne disait mot. Maman est différente. Elle est omniprésente, qu'il s'agisse de crier et de m'accabler de reproches ou de se répandre en jérémiades. Je ne puis jamais lui échapper, mais pas non plus me servir de sa présence comme nourriture. Elle me détruit. Mais l'attitude lointaine de papa était elle aussi destructrice, car, comme tout enfant, j'avais absolument besoin de nourriture. Où la chercher si mes parents me la refusaient ? L'aliment dont j'avais si terriblement besoin, c'était le contact humain, mais ni papa ni maman ne savent ce que c'est ; ils craignaient de nouer un lien avec moi car eux-mêmes avaient été abusés dans leur enfance, sans personne pour les protéger. Mais voilà que je retombe dans la même ornière, et tente à présent de comprendre Papa. J'ai essayé inlassablement pendant seize ans, aujourd'hui je veux enfin arrêter. Il s'est certainement toujours senti très seul, mais il m'a fait grandir dans la même solitude. Il ne venait me chercher que quand il avait besoin de moi, et n'a jamais été présent pour moi. Plus tard, il s'est mis à m'éviter, systématiquement. J'ai décidé de m'en tenir à ces faits, je ne veux plus esquiver la réalité.

9 avril 1998

J'ai de nouveau beaucoup maigri, et le psychiatre de l'hôpital nous a donné l'adresse d'une thérapeute. Elle s'appelle Suzanne. Je l'ai vue deux fois. Pour le moment, ça se passe bien. Elle est différente du psychiatre. Avec elle, je me sens comprise, et ça m'apporte un grand soulagement. Elle n'essaie pas de me bourrer le crâne, elle m'écoute, mais elle parle aussi, me dit ce qu'elle pense et m'encourage à formuler mes pensées et lui confier mes sentiments. Je lui ai parlé de Nina et j'ai beaucoup pleuré. Je ne mange toujours pas, mais je comprends mieux, et plus en profondeur, pourquoi. Pendant seize ans, on m'a fait ingurgiter une nourriture inadéquate, et j'en ai assez. Soit, avec l'aide de Suzanne, je trouverai le courage de me procurer celle qu'il me faut, soit je poursuivrai ma grève de la faim. Est-ce, en réalité, une grève de la faim ? Je ne le vois pas ainsi. Je n'ai simplement pas envie de manger, pas d'appétit. Je refuse les mensonges, les distorsions, les dérobades. Je voudrais tellement pouvoir parler avec mes parents, leur parler de moi et qu'ils me racontent leur enfance, comment ils ont été élevés, qu'ils me disent comment ils voient le monde aujourd'hui. Ils n'ont jamais soufflé mot de tout cela. Ils se sont uniquement préoccupés de m'inculquer de bonnes manières et ont évité tout sujet personnel. Alors moi, aujourd'hui, j'en ai marre. Mais pourquoi est-ce que je ne claque pas la porte, pourquoi est-ce que je retourne toujours à la maison, alors que je souffre de la façon dont ils me traitent ? Parce que j'ai pitié d'eux ? Sans doute, mais j'avoue surtout que j'ai toujours besoin d'eux, qu'ils me manquent quand nous sommes séparés, bien que je sache qu'ils ne pourront jamais me donner ce que j'attends d'eux. C'est-à-dire : ma raison le sait, mais l'enfant en moi ne le peut pas, ne peut pas le comprendre. D'ailleurs, ça ne l'intéresse pas, il veut juste qu'on l'aime, et ne peut pas saisir pourquoi, dès sa venue au monde, il n'a pas reçu d'amour. Pourrais-je jamais accepter cet état de choses ?

D'après Suzanne, j'apprendrai à l'accepter. Par bonheur, elle ne me dit pas que mes sentiments m'induisent en erreur. Elle m'encourage à avoir foi en mes perceptions et à les prendre au sérieux. Ça, c'est merveilleux, c'est la première fois que je l'entends, du moins exprimé aussi carrément. Même Klaus n'a jamais tenu ce langage. Quand je me confie à lui, il me dit souvent : « Tu te fais des idées », comme s'il savait mieux que moi comment je ressens tel ou tel événement. Mais le pauvre Klaus, avec ses grands airs, se contente de répéter les propos de ses parents : « Tes sentiments te trompent, nous en savons plus long que toi. » En fait, s'ils disent cela, c'est probablement par habitude, parce que c'est l'usage, car, au fond, ils sont très différents de mes parents. Ils l'écoutent davantage, sont beaucoup plus disponibles pour lui, surtout sa mère. Elle lui pose souvent des questions et on a l'impression qu'elle cherche vraiment à le comprendre. J'aimerais bien que

Maman me pose ce genre de questions. Mais Klaus, ça lui déplaît. Il voudrait que sa mère lui fiche la paix et le laisse faire ses propres expériences, sans vouloir perpétuellement l'aider.

Il en a parfaitement le droit, mais son attitude crée aussi de la distance entre nous. Il ne me laisse pas venir vers lui. J'ai envie de parler de ce problème à Suzanne.

11 juillet 1998

Comme je suis heureuse qu'il existe une Suzanne. Pas seulement parce qu'elle m'écoute et m'encourage à m'exprimer à ma manière, mais aussi parce que j'ai trouvé en elle une alliée, qui ne me demande pas de changer pour qu'elle puisse m'aimer. Elle m'aime comme je suis. C'est formidable, je n'ai aucun effort à faire pour être comprise. Elle me comprend, tout simplement, et c'est un sentiment merveilleux. Je n'ai pas besoin de faire le tour du monde pour trouver quelqu'un qui consente à m'écouter, avec, probablement, des déceptions à la clé. Ce quelqu'un, je l'ai, pour de bon, et grâce à Suzanne, je mesure aussi à quel point je me suis toujours trompée, par exemple en ce qui concerne Klaus. Hier, nous sommes allés au cinéma, et, à la sortie, j'ai essayé de discuter du film avec lui. Je lui ai expliqué pourquoi, en dépit des excellentes critiques, la réalisation m'avait déçue. Pour toute réponse, il m'a déclaré : « Tu es trop exigeante. » J'ai soudain pris conscience qu'il m'avait déjà, à maintes reprises, adressé ce genre de remarques au lieu de s'intéresser au contenu de mes propos. Or ça m'avait toujours paru normal, car comme à la maison je n'entendais rien d'autre, j'y étais habituée. Mais hier, ça m'a frappée. J'ai pensé :

Suzanne ne réagirait jamais de cette manière, elle répond toujours à ce que je dis, et si ça ne lui paraît pas clair, elle me demande de préciser. J'ai subitement réalisé qu'il y a un an que Klaus et moi sommes amis, sans que j'aie jamais osé me rendre compte qu'en réalité il ne m'écoute pas. Il se dérobe, tout comme Papa. Moi, au fond, ça me paraissait normal. Son attitude peut-elle changer ? Et pourquoi donc changerait-elle ? Il doit avoir ses raisons, auxquelles je ne puis rien. Heureusement je commence à voir que je n'aime pas qu'on me fuie, et suis capable de me l'avouer. Je ne suis plus la petite fille à son papa.

18 juillet 1998

J'ai raconté à Suzanne que Klaus me tape parfois sur les nerfs, sans que je sache pourquoi. Pourtant, je l'aime. Je me mets toujours en rogne pour des petites choses, et après je me le reproche. Il est plein de bonnes intentions, dit qu'il m'aime et je sais qu'il tient beaucoup à moi. Pourquoi ai-je donc l'esprit si mesquin ? Pourquoi est-ce que je m'agace pour des broutilles ? Pourquoi ne puis-je être plus généreuse ? Je me suis longuement étendue sur ce sujet, en me mettant en accusation. Suzanne m'a écoutée, puis m'a demandé en quoi consistent ces petites choses. Elle voulait tout savoir très précisément, et je me refusais à entrer dans ces détails, jusqu'au moment où je me suis rendu compte que j'aurais pu continuer à parler comme ça pendant des heures et à me culpabiliser sans savoir exactement ce qui m'énerve. Tout simplement parce que je réprouvais d'emblée mes sentiments, avant même d'avoir pu les prendre au sérieux et les comprendre.

Je me suis donc mise à lui rapporter des faits concrets. Par exemple, l'histoire de la lettre. J'avais écrit à Klaus une longue missive où j'essayais de dire combien je me sens mal quand il veut me dissuader de mes sentiments, quand il affirme par exemple que je vois tout sous un aspect négatif, que je coupe les cheveux en quatre, que je me lance dans toutes sortes de spéculations à propos de trucs sans importance, et ne devrais pas me tracasser inutilement, sans aucune raison. Ce genre de langage m'attriste, je me sens seule et j'ai tendance à me dire la même chose : « Arrête tes ruminations, prends la vie du bon côté, ne sois pas tellement compliquée. » Mais j'ai découvert, grâce à la thérapie avec Suzanne, que ces conseils ne me font pas de bien, m'incitent à des efforts qui n'ont aucun sens et ne donnent rien de bon. Je me sens mal acceptée telle que je suis, de plus en plus rejetée. Y compris par moi-même, comme autrefois par Maman. Comment peut-on aimer un enfant si on le veut différent de ce qu'il est ? Si je veux perpétuellement devenir quelqu'un d'autre, si c'est aussi ce que Klaus me demande, alors il m'est impossible de m'aimer, comme de croire que les autres le font. Qui aiment-ils donc ? La personne que je ne suis pas ? Celle que je suis mais qu'ils voudraient changer pour pouvoir la supporter ? Je ne veux pas courir après un tel « amour ». Ras-le-bol.

Encouragée par ma thérapie, j'ai écrit tout ça à Klaus, en craignant, d'ailleurs, qu'il ne comprenne pas. Ou bien (c'est ce que je redoutais le plus) qu'il n'y voie une façon de lui adresser des reproches, ce qui n'était nullement mon intention. J'essayais simplement de m'ouvrir, et j'espérais qu'après il me comprendrait mieux.

Je lui ai clairement expliqué pourquoi je suis en train de changer, et je voulais l'associer à cette évolution, ne pas le laisser en dehors.

Il ne m'a pas répondu tout de suite. J'appréhendais déjà sa colère, son exaspération devant mes incessantes ruminations, son rejet, mais je m'attendais quand même à une réaction. Au lieu de quoi j'ai reçu, au bout d'une huitaine de jours, une lettre qui m'a absolument stupéfaite. Il me remerciait de la mienne, mais sans un mot sur son contenu. En revanche, il me racontait ses vacances, ses projets de randonnées en montagne, me parlait des gens avec qui il sortait le soir. J'ai senti le sol se dérober sous mes pieds. Ma raison me disait que je lui avais demandé quelque chose au-dessus de ses moyens. Il n'était pas habitué à se montrer réceptif aux sentiments des autres, il ne l'était même pas aux siens, et devant ma lettre il se trouvait complètement désemparé. Mais si je voulais prendre mes sentiments au sérieux, ces beaux raisonnements ne me servaient à rien. Je me sentais annihilée, comme si je ne lui avais rien écrit. Qui suis-je si on me traite comme un zéro ? Je me sentais détruite dans mon âme.

En expliquant à Suzanne, lors de ma séance de thérapie, ce que je ressentais, je pleurais comme un petit enfant effectivement menacé de mort. Heureusement, elle n'a pas essayé de dissiper ce sentiment, de me dire qu'à présent je ne courais aucun danger. Elle m'a laissée pleurer, m'a prise dans ses bras comme on le fait d'un bébé, m'a caressé le dos. Et à cet instant, pour la première fois, j'ai clairement pris conscience que durant toute mon enfance je n'avais connu que cela, cette sensation d'être détruite dans mon âme. Ce qui m'arrivait maintenant avec Klaus, qui ignorait purement et simplement ma lettre, n'était pas une expérience nouvelle. Je connaissais ça de longue date. La nouveauté, en revanche, c'est que pour la première fois je pouvais réagir en ressentant ma souffrance. Quand j'étais petite, il n'y avait personne pour me le permettre. Personne ne m'avait prise dans ses bras, ne m'avait montré la compréhension que me témoignait Suzanne. Dans mon enfance, je n'avais pas accès à cette douleur, et par la suite je l'ai manifestée, sans la comprendre, à travers l'anorexie.

L'anorexie répétait sans relâche : « Je meurs de faim parce que personne ne veut me parler. » Et plus je dépérissais, plus mon entourage multipliait les signes d'incompréhension. Comme la réaction de Klaus à ma lettre. Les médecins m'ont donné diverses prescriptions, mes parents leur ont emboîté le pas, le psychiatre m'a prédit une mort prochaine si je ne commençais pas à m'alimenter et m'a fait prendre des médicaments pour que je puisse manger. Tout le monde voulait m'obliger à me nourrir, mais je n'avais aucune envie d'ingurgiter tout le cinéma qu'on me proposait. Et ce à quoi j'aspirais paraissait inatteignable.

Jusqu'au moment où, auprès de Suzanne, je me suis sentie profondément comprise. J'ai retrouvé l'espoir, que chaque être humain porte en lui à sa naissance, que de véritables échanges sont possibles. Tout enfant essaie, d'une manière ou d'une autre, de nouer le contact avec sa mère. Mais s'il n'y a aucune réponse, il perd espoir. C'est peut-être dans ce refus de la mère que réside de façon générale la racine de la désespérance. Maintenant, grâce à Suzanne, la petite flamme s'est rallumée en moi. Je ne veux plus me lier à des gens qui, comme Klaus, ont abandonné tout espoir de dialogue à cœur ouvert ; j'ai envie de rencontrer d'autres personnes, avec qui je peux parler de mon enfance. La plupart prendront peur, probablement, en m'entendant évoquer ce passé, mais l'une ou l'autre sera peut-être amenée à se confier également. En présence de Suzanne, je me sens comme transportée dans un autre monde. Je n'arrive plus à comprendre comment j'ai pu rester si longtemps avec Klaus.

Plus je perce à jour, à travers mes souvenirs, le comportement de mon père, plus je comprends l'origine de mon attachement à Klaus et à d'autres amis du même genre.

31 décembre 2000

J'avais arrêté de tenir mon journal. Aujourd'hui, après une interruption de deux ans, j'ai relu les pages écrites à l'époque de ma thérapie. Elle a été relativement brève, en comparaison de celles qu'on m'obligeait à suivre au temps de mon anorexie. À présent, je vois clairement comme j'étais coupée de mes sentiments et restais cramponnée à l'espoir de pouvoir, un jour, nouer une véritable relation avec mes parents. Mais tout ça a changé. Il y a un an que je ne suis plus en thérapie chez Suzanne, et je n'en ai plus besoin car je suis devenue capable de témoigner à l'enfant enfoui en moi la compréhension qu'avec elle j'ai rencontrée pour la première fois de ma vie. Maintenant, j'accompagne cet enfant que je fus, toujours vivant au fond de moi. Je suis capable de respecter les signaux de mon corps, n'exerce plus de contrainte sur lui, et mes symptômes ont disparu. Je ne suis plus ano-

> rexique, j'ai de l'appétit pour la nourriture comme pour la vie. J'ai quelques amis, avec qui je peux parler en toute sincérité sans avoir à craindre leur jugement. Mes anciennes attentes envers mes parents se sont pour ainsi dire envolées d'elles-mêmes depuis que je comprends non plus seulement ma partie adulte, mais aussi l'enfant en moi qui voyait ses aspirations totalement repoussées. Je ne me sens plus attirée par des gens qui, eux aussi, vont frustrer mon besoin d'ouverture et d'authenticité. Je trouve des êtres qui ont les mêmes besoins que moi, mes nuits ne sont plus troublées par des crises de tachycardie, et je n'ai plus peur de passer sous un tunnel. J'ai un poids normal, mes fonctions corporelles se sont stabilisées, je ne prends plus de médicaments mais j'évite les contacts auxquels, je le sais et je sais pourquoi, je réagirais par une allergie. Il s'agit, entre autres, de mes parents et de certains membres de ma famille, qui m'ont, des années durant, abreuvée de bons conseils.

En dépit de cette évolution positive, la personne réelle que je nomme ici Anita fit une grave rechute lorsque sa mère réussit à la contraindre à reprendre ses visites. Elle était tombée malade et en accusait sa fille, qui, soupirait-elle, aurait dû savoir combien elle la rendait malheureuse par son éloignement. Comment avait-elle pu lui faire ça ?

Ce genre de phénomène est très fréquent. La mère, de par sa position, détient manifestement un pouvoir illimité de donner mauvaise conscience à sa fille adulte. En la culpabilisant ingénieusement, elle peut sans trop de peine obtenir d'elle la présence et la sollicitude que, dans son enfance à elle, sa propre mère lui a refusées.

Anita fut submergée par ses anciens sentiments de culpabilité, et tous les résultats de la thérapie parurent en péril. Par chance, elle ne retomba pas dans l'anorexie. Mais les tête-à-tête avec sa mère lui montrèrent clairement que, si elle voulait échapper à de nouveaux accès de dépression, elle devait se résoudre à faire preuve de « dureté » et cesser les visites que lui avait imposées un chantage affectif. Elle retourna donc chez Suzanne, dans l'espoir de trouver assistance et soutien.

À son grand étonnement, elle rencontra une Suzanne jusqu'alors inconnue, qui lui expliqua que, pour se débarrasser définitivement de ses sentiments de culpabilité, il lui fallait accomplir une autre étape du travail analytique, à savoir la liquidation de son complexe d'Œdipe. Le comportement incestueux de son père avait laissé en elle des sentiments de culpabilité, dont elle cherchait à se débarrasser auprès de sa mère.

Avec ces interprétations, Anita n'était pas plus avancée. Elle n'éprouvait que de la colère, se sentant manipulée. Elle voyait à présent en Suzanne une prisonnière de l'école psychanalytique, dont, en dépit de ses assurances répétées, elle n'avait pas suffisamment remis en question les dogmes. Elle l'avait bien aidée à se débarrasser du modèle de la pédagogie noire, mais se révélait à présent dépendante des idées reçues lors de sa formation – idées qui, aux oreilles d'Anita, sonnaient parfaitement faux. Elle avait presque trente ans de moins que Suzanne et ne jugeait pas nécessaire de se soumettre aux dogmes considérés par la génération précédente comme ayant force de loi.

Anita prit donc congé de Suzanne et trouva un groupe de jeunes gens de son âge, qui avaient vécu des expériences analogues dans leurs thérapies et cherchaient des formes de communication exemptes de visées éducatives. Elle y puisa l'assurance dont elle avait besoin pour s'affranchir de l'emprise familiale et ne pas se laisser bourrer le crâne par des théories qui lui paraissaient extravagantes. Sa dépression disparut et plus jamais elle ne refusa de se nourrir.

L'anorexie passe pour un trouble très complexe, et son issue est parfois mortelle. L'être qui en est atteint se torture à mort. Cependant, pour comprendre ce qui est en jeu dans cette maladie, nous devons mettre au jour ce dont le patient a souffert dans son enfance, la torture morale que lui ont infligée ses parents en lui refusant l'indispensable nourriture émotionnelle. Cette démarche semble toutefois susciter un tel malaise chez les médecins qu'ils préfèrent s'en tenir à l'idée que l'anorexie nous reste incompréhensible, qu'un traitement médicamenteux peut certes s'avérer utile mais qu'il n'y aura jamais de véritable guérison. Ce genre de malentendu survient régulièrement lorsque l'histoire relatée par le corps reste ignorée et, au nom du devoir d'honorer ses parents, sacrifiée sur l'autel de la morale.

Anita découvrit, dans un premier temps auprès de Nina, puis grâce à Suzanne et finalement dans le groupe, qu'elle avait le droit d'insister sur son besoin de *communication nutritive,* qu'elle n'aurait plus jamais à renoncer à cette nourriture et que, pour cette raison, elle ne pouvait vivre aux côtés de sa mère sans le payer par la dépression. Cela suffit à son corps qui dès lors se trouva dispensé de lui lancer des avertissements car elle respectait ses besoins et ne se laissait plus culpabiliser par quiconque.

À l'époque de son hospitalisation, Anita rencontra, grâce à Nina, la chaleur humaine et la compassion, sans exigences ni accusations. Puis elle eut la chance de trouver en Suzanne une thérapeute capable d'écoute et de sensibilité, auprès de laquelle elle découvrit ses propres émotions, qu'elle osa vivre et exprimer. Elle sait, désormais, de quelle nourriture elle était en quête, a pu nouer de nouvelles relations et rompre les anciennes, et même reconnaître les limites de l'aide que lui avait apporté Suzanne. Plus jamais elle n'aura à se terrer pour échapper aux mensonges qu'on lui assène. Elle leur opposera toujours sa vérité et ne se sentira plus jamais forcée de jeûner, car maintenant, pour elle, la vie vaut la peine d'être vécue.

Le récit d'Anita se passe de commentaires : les faits qu'elle décrit illustrent clairement les mécanismes que dévoile son histoire. Anita se laissait mourir de faim par manque de véritable contact affectif avec ses parents et ses partenaires, et ce fut là l'origine de sa maladie. La guérison est devenue possible quand la jeune femme a pu constater qu'il existait des gens désireux et capables de la comprendre.

La peur figure au premier rang des émotions réprimées (selon le cas, refoulées ou déconnectées) dans notre enfance et emmagasinées dans les cellules de notre corps. Un enfant battu vit dans la crainte permanente de nouveaux coups, mais ne peut vivre avec la pensée qu'on le traite cruellement. Ce savoir, il doit le refouler. De même, un enfant négligé ne peut prendre conscience de sa souffrance – sans même parler de l'exprimer – par peur de se voir totalement abandonné. Il va donc se réfugier dans un monde plus beau, imaginaire et pétri d'illusions. Cela l'aide à survivre.

Lorsque les émotions refoulées ressurgissent chez l'adulte, parfois déclenchées par un événement anodin, elles ne sont pas comprises. « Moi ? Avoir peur de ma mère ? Elle est gentille avec moi, dévouée, parfaitement inoffensive. Comment pourrais-je avoir peur d'elle ? » Ou bien, autre cas de figure : « Ma mère est terrible. Mais je le sais, et c'est pourquoi j'ai coupé les ponts. Elle n'a plus la moindre emprise sur moi. » C'est parfois vrai en ce qui concerne l'adulte. Mais il se peut aussi que vive encore en lui le petit enfant non intégré, dont les peurs paniques n'ont jamais été autorisées à émerger, n'ont jamais été éprouvées consciemment et, de ce fait, se focalisent aujourd'hui sur d'autres personnes. Ces peurs peuvent nous submerger subitement, sans raison visible, et nous plonger dans un état de panique. La peur inconsciente de la mère ou du père peut subsister des décennies durant si l'on n'a pas été en mesure de l'exprimer en présence d'un témoin lucide.

Chez Anita, par exemple, elle s'est manifestée à travers sa méfiance envers tout le personnel de l'hôpital et dans son incapacité à manger. Cette méfiance était certes parfois justifiée, mais peut-être pas toujours. Cependant Anita n'était pas en mesure de débrouiller l'écheveau. Le corps répète :

« Je ne veux pas de ça » sans pouvoir dire : « Je veux ceci. » Ce n'est qu'après avoir vécu ses émotions en présence de Suzanne, après avoir découvert ses peurs précoces devant une mère totalement bloquée sur le plan affectif que la jeune fille peut s'en libérer. Et, devenue plus apte à établir des distinctions, elle parvient ensuite à mieux trouver ses marques dans le présent.

Elle sait qu'il est inutile de persévérer dans ses efforts pour amener Klaus à un dialogue à cœur ouvert et sincère, car il ne tient qu'à lui de changer d'attitude. Elle ne voit plus en lui un substitut maternel. D'un autre côté, elle découvre subitement, dans son entourage, des gens très différents de son père et de sa mère, et dont elle ne doit plus nécessairement chercher à se protéger. Comme elle est maintenant familiarisée avec l'histoire de la toute petite Anita, elle n'a plus à s'angoisser ni à la rééditer dans de nouvelles versions. Elle distingue de mieux en mieux le passé du présent, et se repère de mieux en mieux dans l'ici et maintenant. Son plaisir de manger, récemment découvert, reflète son plaisir de fréquenter des gens qui vont vers elle sans exiger de contrepartie. Elle savoure pleinement ces échanges et se demande parfois, tout étonnée, où sont passées la défiance et les peurs qui l'ont si longtemps séparée de presque tous ses semblables. Celles-ci ont effectivement disparu depuis que le présent n'est plus aussi inextricablement enchevêtré au passé.

Nous savons que beaucoup de jeunes se méfient de la psychiatrie, sans même parler de la psychanalyse. Ils ne se laissent pas facilement convaincre qu'on « leur veut du bien », même lorsque c'est sûrement le cas. Ils s'attendent à toutes sortes de pièges, aux discours prémâchés de la pédagogie noire, truffés de leçons de morale – à tout ce qui, depuis la petite enfance, leur est bien connu. Le thérapeute doit avant toute chose gagner la confiance de son patient, mais comment y arriver lorsque son vis-à-vis a cent fois fait la triste expérience d'une confiance mal placée ? Ne faudra-t-il pas des mois, voire des années, pour construire une relation solide et féconde ?

Pas nécessairement. Mon expérience m'a appris que même des gens très soupçonneux tendent l'oreille et s'ouvrent lorsqu'ils se sentent réellement acceptés et compris. Cela s'est produit, par exemple, chez Anita lorsqu'elle a rencontré Nina, la jeune Portugaise, puis Suzanne, sa thérapeute. Son corps l'a rapidement aidée à dissiper sa méfiance en lui insufflant le désir de manger sitôt qu'il a reconnu une vraie nourriture. Une volonté sincère de comprendre se repère très vite, car elle ne peut se simuler. Et chacun d'entre nous, même un ado suspicieux, verra rapidement qu'elle émane d'un être humain authentique, et non d'un personnage de façade, à la condition que l'offre d'aide soit pure de tout mensonge. Sinon, le corps le détectera tôt ou tard. Les plus belles paroles ne peuvent le tromper – du moins pas longtemps.

CONCLUSION

Battre un jeune enfant est toujours une maltraitance, avec de lourdes conséquences dont, souvent, il portera le poids toute sa vie. La violence dont il a été victime reste emmagasinée dans son corps, et l'adulte qu'il deviendra la dirigera sur d'autres personnes, voire un peuple tout entier, ou la retournera contre lui-même, et cela le conduira à la dépression ou à une pratique toxicomaniaque, à de graves maladies, au suicide ou à une mort prématurée. La première partie de ce livre illustre par quelles voies la négation de la vérité, le déni des cruautés subies dans l'enfance sabote le travail biologique que le corps accomplit pour le maintien de la vie et bloque ses fonctions vitales.

L'idée que l'on doit jusqu'à son dernier jour révérer ses parents – c'est-à-dire leur témoigner un respect mêlé de crainte – repose sur deux piliers. Le premier réside dans l'attachement tragique de l'ancien enfant maltraité à ses bourreaux, phénomène qui se manifeste assez souvent dans les comportements masochistes, pouvant aller jusqu'à de graves perversions. Le second réside dans la morale, qui depuis des millénaires nous menace de tous les maux si nous osions ne pas honorer nos parents, quoi qu'ils nous aient fait.

Le formidable effet de cette morale pesante sur les anciens enfants maltraités devrait être flagrant. Quiconque a été battu dans son enfance est en proie à la peur, et quiconque a manqué d'amour dans ses jeunes années aspirera, parfois sa vie durant, à en trouver. Conjuguée à la peur, cette aspiration, qui renferme une multitude d'attentes, constitue le terreau où vient s'enraciner l'emprise du Quatrième Commandement. Cette injonction représente le pouvoir de l'adulte sur l'enfant, qui se reflète, à l'évidence, dans toutes les religions.

Dans ce livre, j'exprime l'espoir que, les progrès de la psychologie aidant, l'influence de ce Commandement déclinera au profit de la prise en compte des besoins biologiques vitaux du corps : ceux, entre autres, de vérité, de fidélité à soi-même, à ses perceptions, sentiments et connaissances. Lorsqu'une véritable communication permet leur expression authentique, tout ce qui a été édifié sur le mensonge et l'hypocrisie se détache de moi. Je ne cherche plus à m'engager dans une relation où je dois feindre des sentiments que je n'éprouve pas, ou en réprimer d'autres que j'éprouve clairement. Un amour qui exclut la sincérité ne peut, selon moi, prétendre à ce nom.

Je résumerai ci-dessous, en quelques points, les principales idées exposées dans cet ouvrage.

1. L'« amour » qu'éprouve pour ses parents l'ancien enfant maltraité n'est pas de l'amour. C'est un *attachement* grevé d'attentes, d'illusions et de dénis, et dont la rançon sera très élevée.

2. Le *prix* de cet attachement est payé en premier lieu par les enfants de l'ancienne victime de maltraitances : elle les élève dans le mensonge en leur infligeant ce qui est censé lui avoir « fait du bien ». La victime elle-même paie fréquemment son déni par des ennuis de santé, parce que sa « gratitude » est en contradiction avec ce que sait son corps.

3. L'*échec de très nombreuses thérapies* s'explique par le fait que beaucoup de thérapeutes restent pris au piège de la morale traditionnelle et, ne connaissant rien d'autre, cherchent à y entraîner leurs clients. Par exemple, tout se passe comme si, lorsqu'une patiente commence à accéder à ses sentiments et devient capable de condamner sans équivoque les agissements d'un père incestueux, cela éveillait chez le thérapeute la peur d'être puni par ses propres parents s'il osait lui aussi voir et exprimer sa vérité. Comment s'expliquer, sinon, que le pardon soit envisagé comme seul remède ? Les thérapeutes le font souvent, afin de se tranquilliser eux-mêmes. Quant au patient, comme les messages de son thérapeute ressemblent fort à ceux reçus jadis de ses parents, mais sont en général exprimés beaucoup plus gentiment, il lui faudra longtemps pour en discerner l'arrière-plan pédagogique. Arrivé à ce point, il est incapable de quitter son psy car il s'est créé entre-temps un nouveau lien toxique. Puisqu'il a commencé à éprouver ses sentiments, le thérapeute est devenu la mère qui

l'a aidé à venir au monde. Il continue donc à en attendre un hypothétique salut au lieu d'écouter son corps, qui lui propose une aide en lui envoyant des signaux.

4. Mais s'il a la chance de bénéficier de l'accompagnement d'un témoin lucide, il pourra vivre et comprendre sa peur de ses parents (ou des figures parentales) et peu à peu *liquider les attachements destructeurs.* La réaction positive du corps ne se fera guère attendre : ses messages deviennent de plus en plus aisés à décoder, ils ne s'expriment plus sous la forme de symptômes énigmatiques. Ce patient découvre alors que son thérapeute s'est et l'a leurré (souvent involontairement), car le pardon *empêche* la cicatrisation des plaies – sans même parler de leur guérison. Et il ne parvient jamais à éliminer la compulsion de répétition. Chacun de nous peut le constater.

Ce livre a aussi pour objet de montrer que certaines idées prétendument justes sont dépassées, notamment la conviction que le pardon amène la guérison, qu'un amour véritable peut naître sur commande ou que feindre des sentiments serait compatible avec la recherche de sincérité. Ma critique de ces idées fallacieuses ne signifie nullement, je tiens à le préciser, que je n'accepte aucune valeur morale ou rejette la morale dans son ensemble.

Tout au contraire. C'est précisément parce que j'accorde une telle importance à des valeurs comme l'intégrité, la prise de conscience, la responsabilité ou la fidélité à soi-même que je combats le déni de réalités qui me paraissent évidentes et sont empiriquement démontrables.

La fuite devant les souffrances subies dans l'enfance se révèle tant à travers l'obéissance aux injonctions religieuses qu'à travers le cynisme, l'ironie et les autres formes d'aliénation de soi qui se camouflent, entre autres, sous les appellations de philosophie ou de littérature. Cependant, en fin de compte, le corps se rebelle. Même s'il se laisse temporairement museler au moyen de drogues, de cigarettes et de médicaments, il garde d'ordinaire le dernier mot. Car il décèle l'automystification plus rapidement que notre raison, en particulier lorsque celle-ci a été éduquée à fonctionner dans le faux Soi. On peut ignorer les messages du corps ou les tourner en dérision, mais il convient de prêter attention à sa révolte. Son langage est en effet l'expression authentique de notre vrai Moi, de notre robustesse et de notre vitalité.

POSTFACE À LA DEUXIÈME ÉDITION

Bien que presque tous mes livres aient suscité des réactions fortes, ce qui frappe pour celui-ci, c'est l'intensité des émotions que déclenche son contenu, que ce soit pour l'approuver ou pour le rejeter. Mon impression, c'est que, indirectement, cette intensité indique si le lecteur se trouve plutôt proche ou loin de lui-même.

Après la parution de *Notre corps ne ment jamais* en septembre 2004, de nombreux lecteurs m'ont écrit pour me dire combien ils étaient heureux de ne plus avoir à s'imposer des sentiments qu'ils ne ressentaient pas en vérité, et aussi leur bonheur d'enfin ne plus avoir à s'interdire d'éprouver les sentiments qui sans cesse renaissent en eux, inchangés. Mais certaines réactions, surtout dans la presse, témoignent assez souvent d'une incompréhension fondamentale, à laquelle je peux avoir moi-même contribué par l'utilisation du mot « maltraitance » dans un sens beaucoup plus large que son usage courant.

L'évocation de ce mot est habituellement associée à l'image d'un enfant au corps meurtri – en partie ou entièrement – dont les blessures renvoient explicitement aux lésions subies. Mais ce que je décris dans ce livre et auquel je donne le nom de maltraitance, ce sont plus encore les lésions de l'intégrité psychique de l'enfant qui au départ restent *invisibles*. Leurs séquelles ne se manifestent souvent que des dizaines d'années plus tard et, même alors, le lien avec les blessures subies dans l'enfance n'est que rarement établi et pris au sérieux. Les personnes concernées elles-mêmes, tout comme la société (les médecins, les avocats, les enseignants et malheureusement aussi de nombreux thérapeutes), ne veulent rien savoir des origines de ces « troubles » ultérieurs ni de certains « comportements bizarres » qui nécessitent de remonter à l'enfance.

Quand j'appelle maltraitance ces blessures invisibles, je trouve le plus souvent en face de moi résistance et indignation ouverte. Je peux parfaitement comprendre ces sentiments, parce que je les ai longtemps partagés. Autrefois, j'aurais protesté violemment si quelqu'un m'avait dit que j'avais été une enfant maltraitée. C'est seulement maintenant, grâce à mes rêves, grâce à ma peinture et bien évidemment grâce aux messages de mon corps, que je sais avec certitude qu'enfant, il m'a fallu endurer pendant des années des lésions psychiques dont, adulte, je n'ai pendant très longtemps pas voulu prendre conscience (voir *infra*, p. 26). Comme tant d'autres, je me disais : « Moi ? mais je n'ai jamais été battue. Les quelques tapes que j'ai reçues, ça n'a pratiquement aucune importance. Et puis ma mère s'est donnée tant de mal pour moi. »

Mais justement, il ne faut pas oublier que les graves séquelles laissées par les blessures précoces résultent de la minimisation des souffrances de l'enfant et du déni de leur signification. Tout adulte peut facilement s'imaginer la frayeur et l'humiliation qu'il ressentirait s'il se trouvait soudain agressé par un géant furieux huit fois plus grand que lui. Mais quand il s'agit d'un petit enfant, nous considérons qu'il ne ressent pas la même chose, bien que nous soyons à même de constater à quel point il est éveillé, et la justesse de ses réponses aux sollicitations de son environnement. Les parents pensent que les tapes ne font aucun mal, qu'elles sont juste un moyen de transmettre des valeurs bien précises aux enfants, et l'enfant reprend cela à son compte. Certains d'entre eux apprennent même à en rire et à utiliser leur connaissance intime de l'humiliation et de l'avilissement pour railler leur douleur. Une fois adultes, ils s'accrochent à cette raillerie, ils sont fiers de leur cynisme, ils en font même de la littérature, comme nous pouvons le voir chez James Joyce, Frank McCourt, etc. S'ils viennent à connaître angoisse ou dépression, ce que le refoulement des sentiments vrais rend inévitable, ils trouvent facilement des médecins pour les soulager un temps à l'aide de médicaments. C'est ainsi qu'ils peuvent tranquillement préserver leur auto-ironie, cette arme éprouvée contre tous les sentiments qui remontent du passé. Par là même ils se conforment également aux exigences de la société, qui tient la protection des parents pour un précepte majeur.

Une thérapeute, qui a lu et compris ce livre en profondeur, m'a rapporté les résistances qu'elle rencontre chez presque tous ses clients quand elle essaie, maintenant plus clairement qu'auparavant, de leur faire voir les blessures causées par les parents. Elle m'a demandé si le Quatrième

Commandement pouvait suffire à expliquer la force de cet attachement aux parents idéalisés. Le fait est qu'il faut que les enfants soient déjà assez âgés pour que le Quatrième Commandement puisse jouer un rôle. Mais dès les premiers âges de la vie, le tout petit enfant a appris à nier la douleur que les parents ne perçoivent pas (« une tape ne peut pas faire de mal »), à en avoir honte, à s'en accuser ou, comme je l'ai dit, à la tourner en dérision. Plus tard non plus, la victime ne parvient pas à sentir qu'elle a été une victime. De cette façon, dans la thérapie, le client est dès le départ bien incapable de déterminer le vrai coupable. Même si les émotions réprimées arrivent à remonter à la surface, elles auront du mal à disputer la place aux mécanismes précocement acquis. C'est qu'ils ont servi tellement longtemps à minimiser la douleur. Ne plus y avoir recours, c'est comme nager contre le courant ; non seulement cela fait peur, mais cela fait naître aussi des sentiments d'isolement. On s'expose au reproche d'apitoiement larmoyant sur soi-même. Or c'est pourtant ici que commence le chemin qui mène à la maturité.

Un patient qui, dès le début de sa thérapie, sait et peut prendre au sérieux la certitude que ses parents l'ont profondément blessé est de ce fait une exception rarissime. Les femmes et les hommes dont les parents ont considéré les sentiments de leur enfant n'ont pas ensuite de difficultés à prendre en compte leur vie et leur souffrance propres. Dans la majorité des cas, les mécanismes acquis dans la petite enfance restent actifs, c'est-à-dire que ces personnes s'acharnent à minimiser leur souffrance, même dans le cadre d'une thérapie. De ce fait, elles peuvent rester fidèles à l'esprit de la pédagogie noire et de la société dans laquelle elles vivent, quitte à demeurer très éloignées d'elles-mêmes. Or une thérapie qui se veut efficace doit nécessairement aboutir à diminuer cette distance par rapport à soi-même.

Il faut dire aussi que de nombreux thérapeutes, mais heureusement pas tous, font tout ce qu'ils peuvent pour détourner leurs clients de leur enfance. Pourquoi et comment, c'est ce que je montre très clairement dans ce livre, même si je ne sais pas quel pourcentage de la profession ils représentent. Sur la base de ma description, le lecteur pourra s'orienter seul, et sera à même de déterminer si, sur ce chemin vers sa vérité, il a trouvé un accompagnateur ou quelqu'un qui l'en éloigne. C'est malheureusement le dernier cas qui est le plus courant. Un auteur très considéré dans les milieux de la psychanalyse affirme même dans un de ses livres qu'il ne saurait y avoir de vrai Soi, que cette notion serait une tromperie. Comment un adulte dont l'accompagnement thérapeutique se fait dans ce cadre peut-il accéder à sa réalité d'ancien enfant ? Comment peut-il retrouver l'état d'impuissance qu'il a vécu alors ? Son désespoir au fur et à mesure que les blessures se répétaient, sans qu'il lui ait été permis de percevoir la réalité, parce qu'il n'y avait personne pour l'aider à la voir.

Mais si la possibilité lui est donnée de se servir de ses sentiments d'aujourd'hui pour accéder aux émotions élémentaires, puissantes et légitimes du petit enfant, et de les expliquer comme des réactions compréhensibles aux atrocités (intentionnelles ou non) commises par les parents ou leurs substituts, c'est alors que le vrai Soi, c'est-à-dire les sentiments et besoins authentiques de la personne, peuvent être vécus. Quand je regarde en arrière, je suis moi-même ébahie de la détermination, de l'endurance et de l'inflexibilité dont mon Moi vrai s'est montré capable pour venir à bout de toutes les résistances externes et internes.

Naturellement, il ne suffit pas de renoncer au cynisme et à l'auto-ironie pour que disparaissent les séquelles d'une enfance atroce. Mais c'est là une condition nécessaire et indispensable. En revanche, quelqu'un qui serait installé dans l'autodérision pourrait faire un grand nombre de thérapies sans être plus avancé pour autant, parce que les sentiments vrais continueraient à rester enfermés, et avec eux l'empathie pour l'enfant que l'on fut.

Il y a plus de cent ans, en accusant explicitement l'enfant et en protégeant les parents, Sigmund Freud s'est soumis sans réserves à la morale dominante. Il en fut de même pour ses continuateurs. Dans mes trois derniers livres, j'ai mis l'accent sur le fait que la psychanalyse s'est davantage ouverte à la réalité des mauvais traitements et des abus sexuels dont les enfants sont victimes, et qu'elle s'efforce d'intégrer ces données dans son élaboration théorique, mais que le respect du Quatrième Commandement fait malheureusement bien souvent échouer ces tentatives. Le rôle des parents dans l'apparition des symptômes chez l'enfant continue à être édulcoré et dissimulé. Ce qui nous est présenté comme une extension du champ de perception de la majorité des thérapeutes a-t-il réellement modifié leurs convictions profondes ? Je ne saurais en juger, mais la lecture de leurs publications me donne l'impression que la réflexion sur la morale traditionnelle n'a pas encore eu lieu. Le comportement des parents continue à être défendu non seulement pour ce qui est de leurs actes, mais aussi dans la production théorique. C'est ce que m'a récemment confirmé la lecture du livre d'Eli Zaretsky (*Secrets of the Soul*, Knopf, 2004), une histoire complète de la psychanalyse qui n'aborde pas du tout la question du Quatrième Commandement.

Voilà pourquoi, dans *Notre corps ne ment jamais*, j'ai accordé une place assez marginale à la psychanalyse. Les lecteurs qui ne connaissent pas mes autres livres auront peut-être du mal à voir en quoi consiste la différence entre ce que j'écris et les théories psychanalytiques. Car, les analystes aussi s'intéressent à l'enfance et admettent volontiers que les traumatismes précoces influencent la vie ultérieure, mais ils éludent souvent la question des blessures dont les parents sont responsables. Parmi les traumatismes les plus fréquemment évoqués, on trouve le décès des parents, les maladies graves, les divorces, les catastrophes naturelles, les guerres. Là, le patient sent qu'on ne le laisse pas seul, l'analyste n'éprouve aucune difficulté à s'imprégner de sa situation et peut l'aider en tant que témoin lucide à surmonter des souffrances d'enfant qui lui rappellent rarement les siennes. Il en est autrement quand il s'agit de blessures que la plupart des personnes ont eu à subir, quand il s'agit en fait de percevoir la haine de ses propres parents, mais aussi généralement l'hostilité des adultes à l'égard des enfants.

Le livre de Martin Dornes (*Psychanalyse et psychologie du premier âge*, PUF) montre à mon avis très clairement à quel point il est difficile de concilier les conceptions traditionnelles des analystes avec les résultats des expériences les plus récentes sur les nourrissons (bien que l'auteur fasse de gros efforts pour convaincre le lecteur du contraire...). Il y a à cela de nombreuses raisons dont je parle dans ce livre, mais je considère que la cause essentielle est à rechercher dans l'efficacité des blocages mentaux (voir mon précédent ouvrage *Libres de savoir*, pp. 113-135) qui s'allient au Quatrième Commandement pour se dissocier de la réalité de l'enfance. Sigmund Freud, on l'a dit, mais plus encore Mélanie Klein, Otto Kernberg et leur continuateurs, tout comme Heinz Hartmann avec sa psychologie de l'Ego déconnectée de la réalité, ont placé sur le nourrisson la charge totale de ce qui leur a été dicté par leur propre éducation dans l'esprit de la pédagogie noire, à savoir que, par nature, les enfants sont des « pervers polymorphes ». Dans *La Connaissance interdite*, j'ai repris un long passage d'un livre de Glover, un analyste toujours fort bien considéré, qui montre comment il voit l'enfant. Cela a peu de rapport avec la réalité vécue par un véritable enfant, et moins encore avec celle que connaît un enfant blessé et souffrant, ce qui vaut indiscutablement pour la majorité, du moins tant que les châtiments corporels et autres types de blessures psychiques seront considérées presque partout comme constitutifs d'une bonne éducation.

Des analystes tels que par exemple Ferenczi, Bowlby, Kohut et d'autres encore, qui se sont orientés dans cette direction, sont restés confinés aux marges de la psychanalyse parce que leurs travaux venaient contredire clairement la théorie des pulsions. Pourtant, aucun d'entre eux n'a, à ma connaissance, démissionné de l'API (Association psychanalytique internationale). Pourquoi ? parce que tous avaient probablement l'espoir, comme beaucoup d'autres aujourd'hui encore, que la psychanalyse ne serait pas un système dogmatique, mais un système ouvert, capable d'intégrer les résultats des travaux nouveaux. Je ne veux pas fermer cette possibilité pour l'avenir, mais je pense que le préalable à sa réalisation serait de se donner la liberté de percevoir la réalité des blessures psychiques, de la maltraitance des nouveaux-nés, et de reconnaître que les parents minimisent les souffrances enfantines pour tenir leur refoulement intact.

Cela ne sera possible que lorsque le travail sur les émotions sera admis dans la pratique psychanalytique, lorsque leur puissance cessera de faire peur et pourra être mise au service de la découverte, ce qui n'implique en rien la nécessité de procéder de la même façon qu'en thérapie primale. Alors le survivant peut arriver à affronter ses blessures premières et trouver le chemin de ses origines, de son Soi véritable, grâce à l'aide du témoin lucide et aux messages de son corps. Autant que je sache, cela ne s'est encore jamais produit dans le cadre d'une psychanalyse.

Dans *Libres de savoir*, j'ai illustré ma critique de la psychanalyse à l'aide d'un exemple concret (pp. 156-162) J'ai pu montrer que même Winnicott, que j'apprécie beaucoup en tant qu'homme, n'a pu aider son collègue Harry Guntrip en analyse, parce qu'il lui était impossible de percevoir la haine de la mère envers le petit Harry. Cet exemple montre nettement les limites de la psychanalyse, qui m'ont en son temps amenée à rompre avec la Société psychanalytique et à rechercher mes propres voies, ce qui m'a établie pour toujours dans la position d'une hérétique. Il n'y a rien de vraiment agréable à se trouver rejetée et incomprise, mais d'un autre côté, ma situation d'exclusion m'a procuré de grands avantages. Elle s'est révélée très productive pour mes recherches, m'a donné une grande liberté, que j'ai mise à profit pour approfondir les questions qui me préoccupaient. Toutes les pistes s'ouvraient à moi, et personne ne me prescrivait comment je devais penser, ce que j'étais autorisée à voir et ce qui ne devait l'être en aucun cas. Cette possibilité de penser librement m'est toujours particulièrement chère.

C'est cette liberté nouvelle qui m'a donné, entre autres, la possibilité de cesser de protéger les parents qui détruisent l'avenir de leurs enfants. Ce faisant, c'est par-dessus un grand tabou que je suis passée. En effet, cette transgression ne s'applique pas qu'à la psychanalyse, mais à toute notre société, et aujourd'hui autant qu'hier, ce qui signifie qu'en aucun cas il n'est permis de désigner l'institution « parents », ni la famille, comme sources de violence et de souffrance. La crainte que cette connaissance inspire est nettement observable dans la plupart des émissions de télévision qui ont la violence pour thème (j'ai récemment mis en ligne sur mon site Internet plusieurs articles à ce sujet).

Les données statistiques sur les mauvais traitements infligés aux enfants, mais aussi le grand nombre de faits rapportés en thérapie par les patients, ont contribué à la reconnaissance de nouvelles formes de thérapie qui vont plus loin que l'analyse en se concentrant sur le traitement du traumatisme et sont pratiquées dans de nombreux établissements. Mais dans ces thérapies aussi (même quand l'accent est mis sur l'accompagnement empathique du thérapeute), les sentiments authentiques de la personne et le véritable caractère de ses parents peuvent être masqués, et les exercices mentaux (cognitifs et d'imagination) ou de consolations spirituelles contribuent à aggraver ce phénomène. Ces prétendues interventions thérapeutiques détournent la personne de ses sentiments authentiques et de la réalité qu'elle a vécue enfant. Mais le client a besoin des deux (l'accès à ses sentiments et par là-même à ce qu'il a vécu réellement) pour accéder à sa vérité et se libérer ainsi de la dépression. Autrement certains symptômes peuvent certes disparaître, mais ils réapparaissent sous la forme de maladies physiques par exemple, aussi longtemps que la réalité initiale de l'enfant est ignorée. Celle-ci peut aussi se trouver ignorée dans des thérapies corporelles, surtout lorsque le thérapeute craint encore ses parents et continue de ce fait à les idéaliser.

On dispose maintenant de nombreux témoignages de mères qui racontent honnêtement à quel point ce qu'elles ont subi dans leur enfance les a empêchées d'aimer leur propre enfant. Il y a des leçons à en tirer, et notamment qu'il faut cesser d'idéaliser l'amour maternel. Alors rien ne nous contraindra plus à tenir le nourrisson pour un monstre hurleur, et nous commencerons à comprendre son monde intérieur, à prendre la mesure de sa solitude et de son impuissance quand il lui faut grandir auprès de parents qui lui refusent toute forme de communication aimante parce qu'eux-mêmes n'ont pu en bénéficier. Nous pourrons alors entendre dans les hurlements du nouveau-né une réaction logique et justifiée à l'attitude cruelle des parents, la plupart du temps inconsciente, mais réelle et constatable dans les faits – une cruauté que la société n'admet pas encore comme telle. Tout aussi naturelle est la réaction de désespoir qu'un homme ou une femme peut avoir devant leur vie gâchée, et qu'un certain type de thérapie des traumatismes va chercher à apaiser par la création d'images mentales positives, alors que ce sont justement des sentiments négatifs comme la rage qui permettent d'accéder à la compréhension de ce qui s'est passé pour les enfants maltraités tout comme pour les parents qui n'ont pas voulu savoir.

La cruauté parentale ne se manifeste pas toujours par des coups (même si une très grosse majorité de la population a été battue dans son enfance). Elle s'exprime aussi et surtout par le manque d'attention et de communication, par l'ignorance des besoins de l'enfant et de ses souffrances psychiques, par des punitions dénuées de sens et perverses, par des abus sexuels, par le chantage émotionnel, par l'exploitation de l'amour inconditionnel de l'enfant, par la destruction de sa confiance en ses capacités propres et par des formes innombrables de prise de pouvoir. La liste est infinie. Et le pire, c'est que l'enfant doit apprendre à considérer tout cela comme un comportement normal, parce qu'il ne connaît rien d'autre.

En dépit de tout cela l'enfant aime ses parents inconditionnellement. L'éthologue Konrad Lorenz a décrit avec beaucoup de sensibilité les sentiments de fidélité qu'inspirait sa botte à l'une de ses oies. C'était en effet la première chose que celle-ci avait vue à sa naissance. Un tel attachement est dicté par l'instinct. Mais si le comportement humain était déterminé pour toute la vie par l'empreinte de l'instinct (nécessaire aux premiers âges de la vie), nous resterions à jamais des enfants gentils, incapables de profiter des privilèges de la vie adulte, au nombre desquels on compte, notamment, la conscience de ses actes, le libre arbitre, l'accès à ses propres sentiments et la capacité de comparer. Que les églises et les pouvoirs en place trouvent un intérêt à freiner cette évolution et à maintenir les gens dans la dépendance de figures parentales, c'est de notoriété publique. On sait moins que le corps paie un prix élevé pour cela. Mais qu'adviendrait-il des figures parentales, si leur pouvoir ne trouvait plus à s'exercer ? C'est ce qui explique que l'institution « parents » jouisse toujours d'une immunité totale. Si cela change un jour (ce qui est le postulat de ce livre), nous serons alors en état de sentir ce que la maltraitance parentale nous a fait. Nous comprendrons mieux alors les signaux que notre corps nous envoie et nous vivrons en paix avec lui, non pas comme les enfants aimés que nous n'avons jamais été et que nous ne serons jamais, mais comme des adultes ouverts, conscients et peut-être aimants qui n'ont plus à craindre leur histoire, parce qu'ils la connaissent.

Parmi les réactions que j'ai pu lire, j'ai relevé d'autres points d'incompréhension, mais je voudrais n'en aborder que deux ici. Il s'agit d'une part de la distance à établir avec les parents maltraitants en cas de dépressions graves, et d'autre part de mon histoire personnelle.

Tout d'abord je souligne le fait que, dans le livre, je parle toujours de parents *introjetés*, rarement de parents véritables et jamais de parents « méchants ». Je ne donne pas le conseil, même à Hänsel et Gretel, de fuir des parents cruels, mais je plaide pour que l'on prenne au sérieux les sentiments vrais réprimés depuis l'enfance, et qui depuis lors subsistent enfouis au fond des cœurs.

Ensuite, j'aimerais bien aussi que ce que je rapporte de mon enfance puisse être lu de façon nuancée. Depuis que je travaille sur la maltraitance des enfants, ceux qui me critiquent me reprochent de la voir partout, parce que j'ai moi-même été victime de maltraitance. Mais je rappelle que, au début de mes travaux, je savais encore fort peu de choses sur ma propre histoire. Aujourd'hui je suis évidemment en situation de comprendre que c'est justement le rejet de ces souffrances qui m'a poussée à travailler sur ce sujet. Il se trouve seulement que, en commençant à explorer ce domaine, je n'ai pas simplement trouvé mon propre destin, mais celui de très nombreuses personnes. Au fond, ce sont leurs histoires qui m'ont amenée à commencer à relâcher mes défenses, à regarder autour de moi, à prendre conscience de la négation obstinée de la souffrance des enfants et à en tirer des conclusions qui m'ont aidée à me comprendre. Voilà pourquoi je leur suis infiniment reconnaissante.

(Traduit de l'allemand par Pierre Vandevoorde)

INDICATIONS BIBLIOGRAPHIQUES

Anonyme, « Lass mich die Nacht überleben », in *Der Spiegel*, n° 28, 7 juillet 2003.

Becker, Jürek, *Ende des Grössenwahns. Ausätze, Vorträge*, Surkamp, 1996.

Bonnefoy, Yves, *Rimbaud*, Seuil, rééd. avril 1994.

Burschell, Friedrich, *Friedrich Schiller in Selbstzeugnissen und Bilddokumenten*, Rowohlt Taschenbuch Verlag, 1979.

Damasio, Antonio R., « Auch Schnecken haben Emotionen », Spiegel-Gespräch, in *Der Spiegel*, n° 49, 1er décembre 2003.

DeSalvo, Louise, *Virginia Woolf : the Impact of Chilhood Sexual Abuse on her Life and Work*, The Women's Press, 1989.

James, Oliver, *They F... You Up*, Bloomsbury, 2003.

Joyce, James, *Briefe*. Ausgewählt aus der dreibändigen, von Richard Ellman editierten Ausgabe von Rudolf Hartung. Deutsch von Kurt Heinrich Hansen, Suhrkamp, 1975.

Kertész, Imre, *Être sans destin*, Actes Sud, 1998.

Lavrin, Janko, *Dostoïevski*, Rowohlt Taschenbuch Verlag, 2001.

Maurel, Olivier, *La Fessée*, Éditions La Plage, 2004.

Mauriac, Claude, *Marcel Proust*, Seuil, 1977.

Meyer, Kristina, *Das doppelte Geheimnis. Weg einer Heilung- Analyse und Therapie eines sexuellen Missbrauchs*, Herder, 1994.

Miller, Alice, *Abattre le mur du silence,* Aubier, 1991.
Miller, Alice, *L'Avenir du drame de l'enfant doué,* PUF, 1996.
Miller, Alice, *C'est pour ton bien – Racines de la violence dans l'éducation,* Aubier, 1984.
Miller, Alice, *Chemins de vie,* Aubier, 1998.
Miller, Alice, *L'Enfant sous terreur*, Aubier, 1986.
Miller, Alice, *Libres de savoir,* Flammarion, 2001.
Miller, Alice, « Mitleid mit dem Vater. Über Saddam Hussein », in *Spiegel online*, 12 janvier 2004.
Miller, Judith et Mylroie, Laurie, *Saddam Hussein and the Crisis in the Gulf,* New York Times Books, 1990.
Mishima, Yukio, *Confessions d'un masque* (1949), Gallimard, réédition 1983.
Proust, Marcel, *Lettres à Robert de Montesquiou 1893-1921*, Plon, 1952.
Proust, Marcel, *Jean Santeuil,* Gallimard, 1952.
Tchekhov, Anton P., *Briefe,* Diogenes Verlag, 1979.

LEXIQUE

Dans ce livre, j'utilise des notions que j'ai développées dans mes précédents livres. À destination des lecteurs qui ne connaissent pas ces ouvrages, en voici les définitions.

J'entends par **pédagogie noire** une éducation qui vise à briser la volonté de l'enfant, et, par un exercice ouvert ou caché du pouvoir, de la manipulation et du chantage, à en faire un sujet docile. J'ai expliqué ce concept, en l'illustrant par de nombreux exemples, dans mes livres *C'est pour ton bien* et *L'Enfant sous terreur*. Dans mes autres publications, je n'ai cessé de montrer les traces laissées par l'esprit de la pédagogie noire chez les adultes qui l'ont subie dans leur enfance, dans leur pensée et dans leurs relations avec les autres.

Un **témoin secourable** est, pour moi, une personne qui prête assistance (fût-ce très épisodiquement) à un enfant maltraité, lui offre un appui, un contrepoids à la cruauté qui imprègne sa vie quotidienne. Ce rôle peut être assumé par n'importe quelle personne de son entourage : il s'agit très souvent d'un frère ou d'une sœur, mais ce peut être aussi un enseignant, une voisine, une employée de maison ou encore une grand-mère. Ce témoin est une personne qui apporte à l'enfant délaissé un peu de sympathie, voire d'amour, ne cherche pas à le manipuler sous prétexte de l'éduquer, lui fait confiance et lui communique le sentiment qu'il n'est pas « méchant » et mérite qu'on soit gentil avec lui. Grâce à ce témoin, qui ne sera même pas forcément conscient de son rôle crucial et salvateur, l'enfant apprend qu'il existe en ce monde quelque chose comme de l'amour. Si les circonstances se montrent favorables, il arrivera à faire confiance à autrui, à préserver sa capacité d'aimer et de faire preuve de bonté, à sauvegarder en lui d'autres valeurs de la vie humaine. En l'absence totale de témoin secourable, l'enfant glorifie la violence et, plus tard, l'exercera souvent à son tour, de façon plus ou moins brutale et sous le même prétexte hypocrite. Fait caractéristique : on ne trouve, dans l'enfance des grands massacreurs comme Hitler, Staline ou Mao, aucun témoin secourable.

Le **témoin lucide** peut jouer dans la vie de l'adulte un rôle analogue à celui du témoin secourable auprès de l'enfant. J'entends par là une personne qui connaît les répercussions du manque de soins et de la maltraitance dans les premières années. De ce fait, elle pourra prêter assistance à ces êtres blessés, leur témoigner de l'empathie et les aider à mieux comprendre les sentiments – incompréhensibles pour les intéressés – de peur et d'impuissance issus de leur histoire. Et leur permettre ainsi de percevoir plus librement les options dont, aujourd'hui adultes, ils peuvent disposer.

Parmi les témoins lucides, on compte un certain nombre de thérapeutes, mais aussi des enseignants, des avocats et des auteurs instruits de ces problèmes. Personnellement, je me considère comme un auteur qui se donne pour but – entre autres objectifs – de communiquer à ses lecteurs des informations encore frappées de tabou. Je voudrais également permettre aux professionnels exerçant dans divers domaines de mieux comprendre leur propre vie et de devenir ainsi des témoins lucides pour leurs clients, leurs patients, leurs enfants et – ce n'est pas le moins important – pour eux-mêmes.

TABLE

CET OUVRAGE
A ÉTÉ TRANSCODÉ
ET ACHEVÉ D'IMPRIMER
SUR ROTO-PAGE
PAR L'IMPRIMERIE FLOCH
À MAYENNE EN DÉCEMBRE 2006

N° d'éd. L.01EHBNFU0362A009. N° d'impr. 67132.
D. L. : septembre 2004.
(Imprimé en France)